이해하기 쉬운
색채심리 ②

포포 포로덕션 · 서인숙 옮김

도서출판
정일

역은이 **포포 포로덕션**(Pawpaw poroduction)

'사람의 마음을 움직일 수 있는 재미있고 즐거운 좋은 책을 만들자'를 모토로 삼아 놀이 감각을 담아 기획하고 영화, 게임, 오락, 패션, 스포츠 등 다양한 업종과 협업하며 도서를 제작하고 있다. 색채심리와 인지심리를 전문으로 하고, 심리학을 활용한 상품 개발이나 기업의 컨설턴트 등도 진행한다. 저서로는 『색채와 심리의 재미있는 잡학』(다이와쇼보), 『만화로 아는 색의 재미있는 심리학』, 『만화로 아는 인간관계의 심리학』, 『만화로 아는 행동경제학』(이상 SB Creative), 『팬더 선생님의 심리학 도감』(PHP 연구소) 등이 있다.

옮긴이 **서인숙**

· 고려대학교 일어교육 대학원 일본어교육 석사 졸업
· 현 세민정보고등학교 일본어 교사
· 현 서울일본어교육연구회 홍보부회장
· 2004년도 서울특별시 교육청 지정 「교육자료개발연구원제」 일본어과 ICT교수학습자료개발, 교육감상 수상

이 책은 '만화로 읽는 색채심리' 2편이다. 2편이라고는 해도 내용이 연결되는 것이 아니기 때문에 이 책부터 가벼운 마음으로 즐겁게 읽어도 좋다.

이번에도 복잡한 색채심리의 억지이론은 가능한 한 배제하고 알기 쉽게 구체적인 실례를 많이 들어 색채와 색채심리에 대해서 설명하고 있다. 저자는 이과계열 대학에서 디자이너가 되려고 했었던 다소 엉뚱한 경력이 있다. 그렇기 때문에 비과학적인 연구는 좋아하지 않는다. 색채에 대한 이론은 난해하기 때문에 자세히 설명하지 않은 부분도 많지만 '어딘지 모르게'와 같은 감각적인 말은 배제하고 이론이나 근거가 있는 내용을 쓰려고 했다. 또 디자이너 시절에 현장의 제일선에서 색채에 대한 오해와 문제 등에 부딪쳤던 경험이 많아 거기에서 얻은 교훈이나 데이터를 넣어서 집필했다. 색채는 이론을 올바르게 이해한 후 감성을 풍부하게 사용하기를 바란다. 이론을 무시할 수도 없고 감성 또한 중요하다.

그러면 이 책의 사용법을 간단히 설명하자. 기본적으로 어디에서부터 읽어도 상관없지만 기본적인 색채심리의 확신을 위해서 "0장"을 준비했다. 색채의 기본을 알고 있는 사람과 1권을 읽은 독자에게는 필요 없을지도 모르므로 뒤로 넘겨서 읽어도 상관없다.

제1장은 먼저 색채심리를 포함한 자신의 "색채종합능력"을 알기 위해서 색채력 테스트를 준비했다. 색의 기본지식에서 표현력, 재현력 등을 종합적으로 조사하는 것이다. 게임감각으로 도전해 보기 바란다.

제2장은 국내의 색채감각에서 탈피하여 세계의 색채감각과 색의 취향이 왜 바뀌는가에 대해 설명하고 있다. 4,736명의 설문조사의 도움을 받아 그 데이터도 기재하고 있다.

제3장에는 색과 다이어트에 관해서 설명하고 있다. 자연스럽고 간단하게 할 수 있는 효과 있는 색채 다이어트를 소개하고 있다. 파란색 사용방법이 새로운 색채심리의 연구항목이지만 그다지 실효성은 없다.

제4장에서는 배색(配色)을 다루고 있다. 두 가지 이상 색이 어울리면서 나오는 이미지와 심리적 효과를 소개하고 있다. 기본적인 규칙을 소개하는 정도로만 끝냈다.

제5장에서는 실제 여러 상황에서 사용할 수 있는 색채심리를 소개하고 있다. 사무실에서 연인 등이 꼭 활용하면 좋은 테크닉을 많이 실었다. 색채심리에 대해 자세히 알게 되면 일상이 더 즐거워질 것이다.

제6장에서는 중요한 효과를 생략하면서까지 소개하고 싶었던 색채에 대한 작은 읽을거리들을 다시 모아 봤다.

또한 이 책에서는 각 장의 끝부분에 컬럼을 준비했다. 색채에 관한 전문적인 읽을거리를 비롯하여 최신 연구결과 등을 소개하고 있다.

색채력 테스트, 세계의 색채, 다이어트, 배색, 실전 어드바이스의 내용도 많이 담았다. 각 장이 독립하여 한 권의 책을 이룰 수 있는 것을 응축한 내용이다. 색채와 색채심리의 베스트 판이라고도 할 수 있다. 이 책은 색채의 도로를 헤매지 않고 나아가게 하는 네비게이션과 같다. 본문의 용어가 조금 어렵다고 느껴질 경우 1권을 읽으면 보다 더 이해가 쉬울 것이다.

또 이번에도 1권에 이어서 만화, 일러스트에 머리에 꽃을 꽂은 원숭이들이 등장한다. 그들은 감정을 꽃의 형태와 색으로 표현하는 '미혼자루' 라고 불리는 원숭이들이다. 바나나에 눈이 먼 별볼일없는 원숭이이지만 그들의 도움에 감사의 뜻을 전한다.

Contents

4장
배색의 기본과 이미지

0장

마이크임베디드

바라는 락이? 가? 라? 지 우루을 조다 ? 연금값을 ?부? ? ?? 그 ?부?마?두 시비
시험 ?? 역 속? 앓? 트바? 구? 금? ?가? 사 온 식? 기 ??? ?? ? 제 가? 트마 ?
?? ??? ?? ??을 ? 느? ? 짜? ?음? 의 기 ?들 ? ? ?? ?

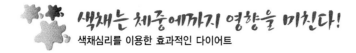

색채는 체중에까지 영향을 미친다!
색채심리를 이용한 효과적인 다이어트

색은 사람의 마음에 큰 영향을 미치고 여러 감각을 마비시키기도 한다. 그러한 예로 식욕에 영향을 주는 색채를 들 수 있다. 빨강, 오렌지, 노랑은 식욕을 증진하는 '식욕색'으로 유명하다. 선홍색은 신선한 야채와 과일을 연상시켜 식욕을 증진시킨다. 반대로 보라, 파랑, 황록은 식욕을 감퇴시킨다. 이 식욕색은 과거의 식사와 밀접하게 연관되어 있다. 과거에 먹었던 색이 맛있는 것과 연결되어 식욕이 생긴다. 식욕과 색은 매우 밀접한 관계에 있다.

많은 사람들이 식욕으로 괴로워하고 있다. 다이어트는 단순히 섭취한 칼로리를 억제하거나 운동으로 칼로리를 소비하는 것만으로는 잘 되지 않는다. 다이어트의 가장 중요한 요소 가운데 하나는 자신의 '식욕'을 어떻게 조절할 것인가이다. 그 해결책의 하나로 식욕을 색채심리로 조절하는 것도 효과적이라는 것이 최근에 알려지게 되었다. 식욕을 감퇴시키는 색을 잘 활용하면 다이어트가 순조롭게 진행된다. '자제하는 다이어트'가 아니라 자연스럽게 하기 때문에 스트레스와 요요현상도 적다. 섭취할 칼로리를 무리하게 억제하려고 하면 오히려 식욕을 증진시킨다. 섭취량을 줄여도 섭취욕은 증진한다. 살찌지 않는 체질 만들기에 의한 다이어트도 물론 효과적이라고 생각할 수 있지만 이것은 하드웨어적인 면에서의 다이어트이다. 색채심리를 활용하게 되면 소프트웨어적인 면에서 접근이 가능하다.

색채심리를 탐구해 보면 그 깊이에 놀라게 된다. 색채심리와 다이어트의 관계에 대해서는 3장에서 다루고 있으므로 관심 있는 사람은 꼭 읽어 보기 바란다.

1

색에는 식욕색과 식욕감퇴색이 있다

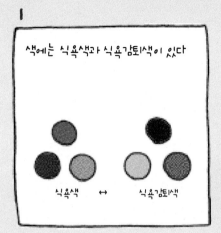

식욕색 ↔ 식욕감퇴색

2

색채심리를 활용하면

산뜻해~야

다이어트에도
    효과적으로 사용할 수 있다

3

운동으로 살을 빼는 것은
    하드웨어적인 다이어트

뱃살탈출!

영차~

4

색채심리 다이어트는
    소프트웨어적인 다이어트

파란색을 보고
있으면
배고프지 않~아

5

간식은
    하드웨어를 고장내는 PC바이러스

살짝

스넥

6

결국 아내는 바이러스 백신

당신!

헉!

지역마다 다른 색채감각
관서인은 왜 화려할까?

색의 취향이나 색채감각은 지역차가 크다. 예를 들면 관서인(현재 오사카·교토를 중심으로 한 관서지방)은 화려하다고들 한다. 성격이나 행동에 '파수(派手 : 호기 있다, 화려하다)' 라는 말이 있는데 관서인의 '파수' 는 패션을 말한다. 관서지방의 나이든 여자들의 대부분이 원색과 같은 화려한 색을 좋아하고 동물무늬에 금색이 반짝거리는, 눈이 어지러울 정도의 패션감각을 가지고 있다.

전국 10~60대의 4,736명을 대상으로 색채에 대한 설문조사를 실시했다. 관서지방 사람의 복장이 '화려하다', '약간 화려하다' 가 19.4%로 관동지방 사람의 11.7% 보다 높은 숫자를 기록했다. 동경 인근에는 디자인계, 복장계 학교도 많고, 화려한 사람이 많다는 선입견이 있는데 오히려 관서지방이 높은 결과가 나온 까닭은 무엇일까?

'관서인은 눈에 띄는 것을 좋아하는 성향이 있기 때문이야' 라고 말할 수 있을지도 모른다. 확실히 대부분의 관서인에게는 다른 사람보다 눈에 띄어야 사회적 인지도가 높다고 생각하는 상인 기질이 영향을 미쳤을 것이다. 그런데 그 때문만은 아니다. 그 수수께끼의 실마리를 푸는 데는 에도시대의 화장(化粧)문화까지 거슬러 올라간다. 에도의 화장은 흰색·빨강·검정이 기본이었다. 이 세 가지 색을 정교하게 사용해서 화장을 했는데, 에도여성은 진한 화장을 싫어해서 화장하지 않은 얼굴의 아름다움을 겨루었다고 한다. 어쩌면 요즈음 유행하는 투명화장의 원조였는지도 모른다. 한편, 관서에서는 두꺼운 화장이야말로 진정한 화장이라고 하는 풍조가 있어서 매혹적인 화장이 발달했다고 전해지고 있다. 이 문화의 차이가 관동과 관서의 색채감각의 차이를 낳았다고 추측된다. '에도보라' 와 '교토보라' 등, 같은 시기에 에도(동경의 옛이름)와 관서에서 만들어진 색을 비교해 보면 관서지방의 것이 더 선명하다. 따라서 관서인이 더 화려한 것은 에도시대부터였다고 볼 수 있을 것이다.

1

색채 감각은 지역차가 있다

2

예를 들면 관서인의 색사용은
화려하다

사탕줄 테니까

이 가죽가방
깎아주세요

3

그것은 왜 그럴까?

자, 5,000원으로 했을 때

4

그 근거에는 상인기질과
                화장문화가

변신하고자 했던 마음이
강하다 ～～

크게 영향을 미쳤을 것이라고 생각된다

5

그래도 관서인이 노란색을
                좋아하는 것은

노란색이다

6

앞으로 한 사람
앞으로 한 사람

단순히 한신 팬이기 때문…

한신(오사카-고베지방)

색채심리라는 것은 색채를 통해서 사람 마음의 움직임을 알고, 색채에 의해서 사람이 어떤 영향을 받는 것인지를 연구하는 학문이다. 색채심리는 상업분야와 의료현장, 교육현장에서 폭넓게 활용되고 있다. 색에는 사람의 감각을 통제하는 힘이 있어 우리들은 무의식중에도 색의 영향을 받고 있다. 백화점에서 무심코 산 물건도 실은 색채심리에 의해서 손이 가도록 계산되어 있다. 색의 재미있는 성질을 알면 색과 잘 어울리게 되고 상대의 감정과 감각까지 컨트롤할 수도 있다.

온도감각

색의 온도는 심리적으로 따뜻한 것과 차가운 것이 있다. 빨강 · 오렌지를 중심으로 핑크 · 노란색은 '난색' 이라고 하며 따뜻함을 느끼는 색이다. 파랑을 중심으로 녹색, 청록은 '한색' 이라고 하며 차가움을 느끼는 색이다. 일반적으로 명도가 높은 색은 전체적으로 시원하게 느끼고 명도가 낮은 색은 따뜻하게 느낀다. 파랑보다 물색이 시원하게 느껴지고 핑크보다 빨강이 따뜻한 이미지를 가지고 있다.

이 온도감각을 활용해서 외국에 있는 어떤 기업은 벽을 파랗게 칠함으로써 사원들이 덥다고 불평하는 소리를 줄일 수 있었다. 냉난방에 의존하지 않고 벽의 색깔을 시원한 색으로 바꾼 것만으로도 쾌적한 작업장 만들기에 성공하였다고 볼 수 있다.

1

외국의 어떤 기업의 일화

2

여름철에 덥다는 불평이

많았기 때문에

사장님은
더운 것을 좋아해요

3

에어컨을 조절하지 않고
벽의 색상을 바꿔 칠했다

열심~

끔
끔

4

그러자 체감온도가 내려가고
불평이 없어졌다

오 ~
쾌적하다

5

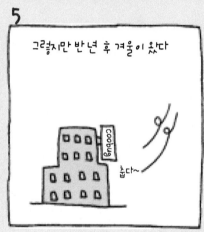

그렇지만 반년 후 겨울이 왔다

춥다~

6

불평이 배로 늘어났다

응~

팽창, 수축감각

색은 실제 크기보다 크게 혹은 작게 보이게 하는 기능도 있다. 빨강, 주황, 노랑과 같은 난색계의 색은 실제보다 커 보이는 색이기 때문에 '팽창색'이라고 부른다. 반대로 파랑, 청록 같은 한색계의 색은 작게 보이기 때문에 '수축색'이라고 한다. 빨강이어도 핑크처럼 명도가 높은 색은 더 크게 보이고 한색 중에서도 명도가 낮은 감색 같은 색은 더 작게 보인다. 그리고 이 수축색은 패션업계에서 크게 활용되고 있다. 예를 들면 흰색과 핑크 같은 팽창색 블라우스에 감색이나 검정의 수축색 바지를 맞추면 하반신이 날씬하게 보인다는 것은 감각있는 사람이라면 모두 알고 있는 상식이다.

위치감각

빨강, 오렌지, 노랑 등의 난색이며 고명도·고채도인 색을 '진출색'이라고 하며 실제 위치보다 돌출되어 보인다. 빨간색 간판은 단순히 눈에 띈다는 이유만이 아니라 진출색이기 때문에 실제 위치보다도 가깝게 보인다. 차를 운전하고 있으면 빨간색 간판은 돌출되어 눈에 가깝게 보인다. 관광에 관한 안내표지 가이드라인에서도 현재위치 표시는 가장 중요하기 때문에 진출색인 빨강을 사용하도록 하고 있다. 또 파랑, 청자색의 한색계와 저명도·저채도인 색은 실제의 위치보다도 뒤에 있는 것처럼 보이기 때문에 '후퇴색'이라고 불린다. 벽이나 실내 인테리어에 잘 이용하면 공간이 더 넓어 보이는 효과를 얻을 수 있다.

1

빨간색 간판과 파란색 간판에서는

2

빨간색 간판이 가깝게 보인다

3

색에는 나와 보이는 색과
뒤로 들어가 보이는 색이 있다

진출색   후퇴색

4

이 이론을 연구한 결과

라라라~

5

술취한 사람이 싫은 것은…

우리들이 젊었을 땐 말야

실제의 위치

진출색 영향이라는 걸

6

알게 되었다

세계 아버지 연구협회
정기발표회

그거 최고로
쓸데없는 짓이다

그리고 거짓말

시간감각

색은 사람의 시간감각도 통제할 수 있다. 따뜻한 색을 보고 있으면 실제의 시간보다도 길게 느끼고, 차가운 색을 보고 있으면 짧게 느낀다. 빨간색으로 꾸며진 방에서는 시간이 좀처럼 흐르지 않지만 한색계의 방에서는 시간이 잠깐 사이에 지나가 버린다. 물 속에서는 시간의 흐름을 빠르게 느낀다. 청백색 형광등 아래에서는 시간을 빠르게 느끼고 백열등 같은 따뜻한 느낌이 드는 빛 아래에서는 시간의 흐름이 더디다. 그 효과를 활용해서, 단순한 일은 청백색 형광등 아래에서 하는 것이 좋다. 그러면 초조해 하지 않고 일이 진행된다. 또 패스트푸드 가게의 내장으로 난색을 많이 사용하는 것은 밝은 이미지를 만들 뿐만 아니라 여유 있는 느낌과 함께 만족감을 주면서 단시간에 회전율을 올리기 때문이다.

중량감각

색은 무겁게 느끼게 되는 것과 가볍게 느끼게 되는 것이 있다. 검정이 가장 무겁고 보라, 빨강, 파랑, 노랑, 흰색의 순서로 가벼워지는 느낌을 준다. 같은 색일지라도 명도가 낮은 색은 명도가 높은 색보다 무겁게 느낀다. 또 채도가 낮은 색도 무겁게 느낀다. 짐이 많은 해외여행에서 조금이라도 가볍게 느끼고 싶다면 속에 넣는 내용물만이 아니라 여행가방의 색에도 주의해야 한다. 검정 가방은 고급스러운 느낌이 있고 더러움이 눈에 띄지 않지만 심리적으로 실제 무게보다 무겁게 느껴진다. 반면 포장박스가 옅은 갈색인 것은 재생지라는 이유만이 아니라 가볍게 느껴지는 색이기 때문이다. 그렇기 때문에 흰색 상자는 있어도 검정 상자는 거의 없다.

1 어느 날 거북이를 도와주었다

괴롭히지맨

2 거북이는 감사의 말을 하고 바다 속으로 데리고 가 주었다

뽀글~ 뽀글~

용궁

3 시간이 지나는 것을 잊고 즐겼다

정말 파란색 세계에서는 시간이 빠르다

4 선물로 상자까지 받아서 매우 좋았다.

바로? 엇? 바로 열어 보라

5 육지로 되돌아와서 상자를 열어 보았다

모락~ 모락~

6 색채심리를 잘 이용하여 새로운 시간제 수법으로

청 구 서

손님을 속이는 가게였다

기억색

사람의 기억은 애매하여 인상적인 것을 과장해서 기억하는 경향이 있다. 특히 색에서 더 두드러지며, 기억된 색은 특징이 과장된다. 선명한 빨강은 보다 선명하게, 연한 빨강은 보다 연하게 기억되기도 한다. 말이나 문자는 거의 완벽하게 기억하여 재현할 수 있는 것에 반해, 색은 '색상·채도·명도'로 구성되어 있기 때문에 단순하게 파악하면 제대로 재현할 수 없다. 여자들은 매일 보고 있는 피부색조차 실제보다도 밝은 색으로 기억하고 있다고 한다. 많은 사람들이 좋아하는 벚꽃도 선명한 핑크로 많은 사람들에게 기억되어 있지만 사실은 더 연한 핑크이다.

수면색

사람을 쾌적한 수면으로 이끄는 색이 있다. 파란색은 사람을 수면으로 유혹한다. 파란색은 혈압을 내리고 긴장감을 없애는 진정작용을 한다. 잠을 잘 이루지 못하는 사람이 이불을 파란색으로 바꾸기만 했을 뿐인데도 잘 잘 수 있었다는 예도 있다. 하지만 단순히 파랗게만 해서는 안 된다. 방을 파란색으로 통일하면 진정효과는 높일 수 있지만 한색의 영향이 강해 추운 느낌이 들게 한다. 또 같은 파랑일지라도 청백색 형광등 빛은 사람을 편안하게 잠으로 이끄는 호르몬인 '멜라토닌'의 분비를 억제하기 때문에 그다지 바람직하지 않다. 침실은 멜라토닌이 영향을 받지 않는 백열등이나 부드러운 오프화이트(색의 기미가 약간 있지만 희게 보이는 심플한 색) 조명이 좋다.

1

색의 기억은 애매하다

어~~~이 색이었나…

2

벚꽃은 매우 연한 색인데

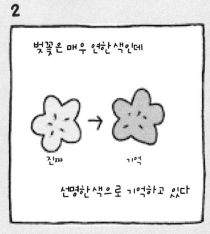

진짜   기억

선명한 색으로 기억하고 있다

3

색은 색상 · 채도 · 명도로

구성되어 있기 때문에

색상

명도 ← → 채도

기억하는 것은 어렵다

4

단순한 점으로 파악하면 특징을

과장해서 기억해 버린다

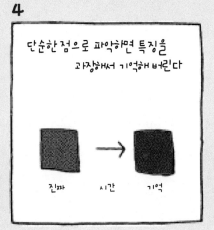

진짜   시간   기억

5

그렇기 때문에 백화점에서는

색은
알고 계십니까?

파운데이션
주세요

6

이런 일이 항상 생기고 있다

저… 혹시
컬러 차트를
보셨나요?

핑크 중에서
가장 밝은 색을

색의 식별성

색에는 쉽게 보이는 색과 보기 어려운 색이 있고 색의 조화로 쉽게 보이거나 보기 어려워지기도 한다. 색의 '식별성' 이라는 것은 이처럼 많은 색 중에서 구별하기 쉽고 대상의 차이를 인식하는 것을 말한다. 대표적인 것이 지하철 노선표이다. 서울과 부산, 대구에는 지하철이 운행되고 있고 색이 겹치지 않게 노선에 빨강, 노랑, 녹색, 파랑 등으로 구분되어 있다. 이것은 지하철 노선을 혼동하지 않도록 구별하기 위해서이다. 색에도 어떤 규칙이 있는데 CIE(국제조명위원회)가 권하고 있는 식별성이 좋은 색의 조합은 빨강 · 초록 · 노랑 · 파랑 · 흰색이다. JIS규격에서도 배관의 내용물을 식별하기 쉽도록 물은 파랑, 가스는 옅은 갈색, 유류는 갈색으로 정해져 있다.

이 식별성은 유니버설 디자인에도 활용되고 있다. 유니버설 디자인이라는 것은 연령과 성별, 신체적인 능력의 차이에 관계없이 사용하기 쉽게 이용할 수 있는 표시(sign) 디자인을 말한다. 특히 고령자의 시점에서 사물을 보면 보기 어려운 표시물이 많다. 백내장으로 눈의 수정체가 변하면 주위를 어둡게 느끼게 된다. 또 망막상의 파란색을 느끼는 추체세포의 감도가 저하되어 검정과 파랑의 구별이 어려워진다. 앞으로 어떤 의미있는 표시를 만들 때는 누구나 식별할 수 있는 식별성이 높은 색을 선정하여 디자인을 고려해야 할 것이다.

1

지하철 노선표는 색으로
순식간에 판별할 수 있다

에…
2호선은 초록

4

그렇지만 색이 늘어나면 비슷한
색을 사용하지 않을 수 없다

1호선

4호선은
이것인가?

2

이런 노선표라면 잘 알 수 없다

5

그렇기 때문에 조금 혼동되더라도
어쩔 수가 없다

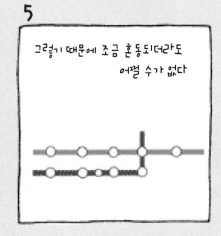

3

5색이면 이런 색의 배합이
좋다고 한다.

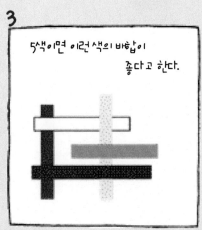

6

수도권 노선도 중에는 혼동되는
색깔도 있다

1호선
2호선
3호선
4호선
5호선
6호선
7호선
8호선

이거
헷갈리네

색의 주목성

'식별성'이 대상의 차이를 인식하는 것이라면, 색에는 재빨리 인지되도록 눈에 띄기 쉬운 '주목성'이라는 것이 있다. 이것은 위험표시나 비상구 안내 등 순간적으로 무엇인가를 상대에게 전해야 하는 매우 중요한 상황에서 활용되고 있다. 주목성이 높은 색은 채도가 높은 빨강이다. 안전을 알리는 JIS규격에서도 빨강은 금지, 정지, 위험을 표시한다고 되어 있다. 불을 끄기 위한 소화기의 장소도 긴급시에 쉽게 눈에 띄도록 고채도인 빨강으로 표시되어 있다. 빨강은 주의를 기울이지 않고 있는 상대에게 위험을 알리는 역할을 한다.

시인성

간판이나 표지는 멀리에서도 알 수 있어야 한다. 그러기 위해서 대상의 인지가 쉬워야 한다. 시선을 끌기 쉬운 색이 주목성이 높은 색이라면 알기 쉬운 색을 나타내는 것이 '시인성'이다. 시인성에 중요한 것은 색을 보는 밝기와 배경에 있는 색, 배합해서 사용하는 색이다. 그 색에 명도 차이가 있을수록 시인성이 높아진다. 건널목에 있는 차단기의 검정과 노랑의 줄무늬가 그 대표적인 것이다. 검정과 노란색 배합이 시인성을 가장 높게 한다. 위험을 알리는 차단기는 심리적으로 위험을 나타내며 눈에 띄는 빨강을 사용하기보다도 멀리에서도 재빨리 인지할 수 있는 색을 사용한다. 주의를 기울이고 있는 상대에게 신속하게 알리는 역할을 하기 때문이다.

1

빨강은 눈에 띄기 때문에
금지표지에 사용된다

2

예를 들면 진입금지나 일시정지 등

진입금지

정지 STOP

과연

3

김철수!

질문!

4

그래 그래
위험을 알리는 거지

도로에 있는
빨간 삼각형도?

5

음~

얼굴이
빨갛게 취한 것도?

6

완전히 다른 의미이지만
위험하니까 가까이 가지 않도록…

딸꾹!

우웩~

반사율

흰색이나 밝은 색은 빛과 방사열을 반사하고, 검정이나 진한 감색은 빛과 방사열을 흡수하는 성질을 가지고 있다. 직사광선을 받으면 흰 천보다 검정 천이 더 열을 흡수하여 뜨거워진다. 직사광선 아래서 검정 차의 표면온도는 흰 차보다 20~28℃나 높다는 결과도 있다. 여름철에는 검정 벤츠가 그다지 부럽지 않다. 지붕에 칠하는 열반사 도료도 흰 것이 많고 검정도료와 비교한 실험결과에서 20도 이상 차이가 난 것도 있었다. 중동의 민족의상인 흰 '도브'는 위에서 아래로 입는 1장의 흰 옷으로서 매우 넉넉하고 열반사율도 좋아 직사광선이 심하고 햇볕이 뜨거운 나라에서는 최적의 옷이다.

연색성

백화점에서 맘에 드는 색깔의 옷을 사가지고 돌아와 집에서 다시 보았을 때 색상에 차이가 있어 당황했던 적이 있을 것이다. 이것은 백화점과 집의 조명이 달라서 생기는 현상이다. 조명에 따라 발색이 달라지는 색의 성질이라기보다는 인공적으로 만들어진 빛의 성질 때문에 일어나는 현상인데, 이것을 '연색성'이라고 한다. 빨간색은 백열등으로 비추면 선명하게 보이지만 형광등 아래서는 칙칙하게 보인다. CIE(국제조명위원회)에서는 기준을 정해 놓고 미술관이나 색을 검사하는 장소 등 색을 보는 법이 중요시되는 곳에서는 연색성이 뛰어난 조명을 사용하도록 권장하고 있다.

1

여름에 햇볕을 피할 수 있는 방법은
양산을 쓰는 것

2

흰 양산은 자외선을 반사하고

3

검정 양산은 자외선을 흡수하여
머리를 보호한다

4

검정 양산은 인기가 있지만

모락모락 ~

열을 흡수해버리는 단점이…

5

최근의 것은 다기능이고
고성능이지만

이상한 것을 사면…

6

앗뜨거

불우산이 된다

색의 원리
어떻게 색이 보이는가?

도대체 색은 어떻게 보이는 것일까? 색이란 어떤 것일까? 그런 의문을 가진 사람도 적지 않을 것이다. 놀랄 만한 이야기일 수도 있지만 물체 자체에는 색이 없다. 색은 빛이 물체에 반사해서 보이는 반사광으로 사람의 뇌가 만들어 낸 것이라고 말할 수 있다. 크기는 물체의 속성이지만 색은 물체의 속성은 아니다. 빛은 전자파라고 하는 에네르기의 일종으로 파장의 차이로 성질이 달라진다. 그 중에서도 극히 일부분의 것, 약 380~780nm(10억분의 1m)의 파장의 전자파에 사람은 색을 식별하는 감각을 느끼는 것이다. 이것을 가시광선이라고 부른다.

가시광선은 파장이 짧기 때문에 보라 · 파랑 · 초록 · 황록 · 노랑 · 주황 · 빨강 등 마치 무지개같이 연속된 구조로 방사되고 있다. 예를 들면 토마토가 빨갛게 보이는 것은 토마토 자체에 빨간색 요소가 있는 것이 아니라 토마토에 방사된 가시광선 중 빨간색만 토마토에서 반사되기 때문이다. 반사된 그 빛을 눈으로 캐치하면 뇌 속에서 '빨강' 이라고 인식하는 것이다. 이것이 색의 정체이다. 엄밀하게 말하면 토마토가 빨간 것이 아니라 편의적으로 우리들은 '토마토는 빨갛다' 라고 말하고 있는 셈이다.

이것은 자외선과 적외선 차이의 구조를 보면 간단하게 이해할 수 있다. 가시광선 중에서 파장이 가장 짧은 것이 보라색이다. 이 보라의 표면에 있는 눈에 보이지 않는 짧은 파장의 광선을 자외선이라고 한다. 반대로 빨강보다도 파장이 길고 눈에 보이지 않는 광선을 적외선이라고 한다. 즉 '표면' 이라는 것은 가시광선의 '표면' 이라는 의미이다.

색의 원리

전자파의 종류와 파장

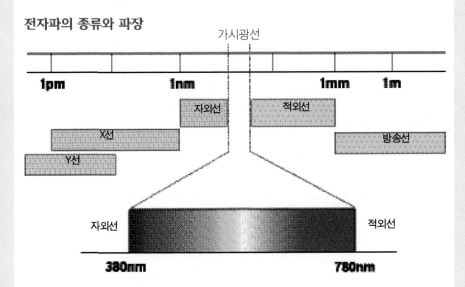

전자파 중에서 380~780nm인 것은 인간의 눈으로 볼 수 있기 때문에 가시광선이라고 부른다.

색이 보이는 구조

물체 자체에 색이 있는 것이 아니라 광원에서 빛 속으로 반사한 것만이 인간의 눈에 도달하고 그 빛을 색으로 인식하는 것이다.

🌱 토막상식 | 제3의 눈

'제3의 눈'이라는 말을 들은 적이 있는가? '제2의 입'이나 '제3의 팔'이라는 말은 없는데 '제3의 눈'이라는 말을 하는 것은 그것이 실제로 있기 때문이다. 곤충이나 파충류 중에는 2개의 눈과는 별도로 '두정안(頭頂眼)'이라고 불리는 제3의 눈을 가진 동물들이 있다. 두정안은 빛을 느끼거나 체온조절을 한다. 사람의 경우, 제3의 눈은 뇌 속에 있는 '송과체(松果體)'이다. 송과체는 눈이나 피부가 느낀 광자극에 반응해서 주야의 리듬을 조정하는 호르몬과 멜라토닌을 분비하고 있다. 새의 송과체는 생물시계의 기능을 담당하고 있다. 그 세포에서 진짜 눈을 만들어내는 분화능력이 있는 것도 알 수 있다. 그렇지만 사람을 포함한 포유류의 송과체에는 빛을 수용하는 능력과 시계(視界) 기능은 없어지고 멜라토닌을 분비하는 내분비기관만으로 이루어져 있다. 생물시계의 기능은 송과체가 아니라 시상하부(視床下部)가 담당한다. 사람의 제3의 눈은 감각기에서 분비기로 변했다고 말할 수 있다.

1장

색채력

색채심리에 대해서 자세히 공부하기 전에 어느 정도 자기에게 색채감각과

색채인지 능력이 있는지 알기 위해서 색채력을 점검하는 테스트를 해 보자.

색에 대해서 여러 가지 각도로 접근하여 문제를 푸는 방식으로

먼저 자신의 색채력을 체크한다.

'색채력'이라는 것
간단하게 점검할 수 있는 종합색채능력

세상에는 색이 넘쳐나고 있다. 패션은 색과 밀접하게 연관되어 있고 더구나 여성이라면 메이크업의 색도 매우 중요하다. 슈퍼나 편의점에도 다양한 색상의 상품이 넘쳐나고 인테리어에서도 색채를 빼놓을 수 없다. 기업은 이미지를 각인시키기 위해서 자신들만의 고유한 색으로 어필하는 것도 중요하게 생각하고 있다. 현대사회는 컬러의 시대며 이러한 색채사회에서 살아가기 위해서는 색을 정확하게 판별하고 이해하여 효과적으로 사용할 수 있는 능력이 필요하다.

색상에 관심은 있지만 세련되게 잘 사용하지 못한다고 생각하는 사람들이 많다. 그들은 색을 센스라고 생각하고 아무 생각없이 감각적으로 사용한다. 그렇기 때문에 색에 대해 자신이 없고 다른 사람으로부터 촌스럽다고 지적당하지 않을까 불안해 하기도 한다.

색을 잘 사용하지 못한다고 생각하는 사람은 매우 많다. 심지어는 패션계의 수석 디자이너이면서도 색에 자신이 없는 사람이 있다. 사실 색의 사용법, 조합법에 대한 이론을 알게 되면 자신 있게 색을 사용할 수 있다. 이러한 색채이론, 기본은 결코 어렵지 않지만 기초가 없으면 점차 복잡해지고 어려워진다. 색채를 공부하려고 해도 전문서적은 너무 어렵고, 간단한 것은 너무 감각적으로 쓰여 있어서 결국 자신을 잃게 된다. 그래서 여기에서는 가능한 한 어려운 해설은 배제하고 게임을 하는 기분으로 자기의 종합색채능력, 즉 '색채력'을 점검할 수 있도록 테스트를 준비했다. 가벼운 마음으로 도전하기 바란다. 반복해서 이 테스트에 도전해 보는 사이, 당신의 색채력은 발전될 것이다.

1

색을 사용하는 데 자신이 없는
사람이 많다

어느 색이 좋을까?

4

그래서 종합색채능력을 설정했다

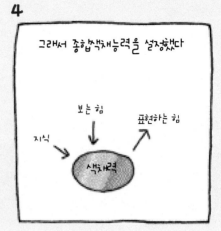

지식

보는 힘

표현하는 힘

색채력

2

색은 여러 요소의 종합체이다

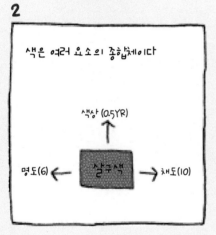

색상 (0.5YR)

명도(6)

살구색

채도(10)

5

자기의 색채력이 어느 정도인지
시험하고

나왔네 색색깔

3

여러 색을 동시에 사용하기
때문이다

6

색채사회를 극복하자

휘익~

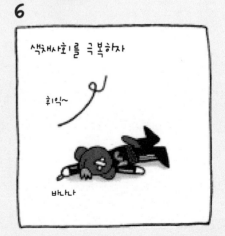

바나나

색채력 테스트 / 체험판

색채력이라는 것을 설명하기 전에 먼저 자신의 색채력이 어느 정도인지 알아두자. 테스트에 앞서 연습문제인 '체험판'을 준비했다. 먼저 어떤 느낌의 테스트인지를 알기 위해서 실제로 해보기 바란다. 간단하게 게임을 하는 기분으로 도전하면 된다. 제한 시간은 1문제당 10초이며 문제는 전부 9개. 너무 심각하게 생각하지 말고 점차로 진행시키기 바란다. 오른쪽 문제를 보아도 잘 모르겠는 사람을 위해서는 아래에 힌트를 준비했다. 물론 힌트가 필요하지 않은 사람은 무시하고 진행하기 바란다. 종이와 필기도구를 준비한 후 바로 해 보자.

Q1. 힌트

색에는 따뜻한 느낌과 차가운 느낌이 있다. 난색인 경우 색에서 불이나 태양의 따뜻한 이미지를 느낀다. 색이 가진 심리효과의 하나이다.

Q2. 힌트

색에는 무거운 느낌과 가벼운 느낌이 있다. 가장 가볍게 느끼는 것은 흰색이다. 명도가 낮고 채도가 희미해지면 색은 무거운 인상을 준다. 어느 색이 가장 무겁게 느껴질까?

Q3. 힌트

보색이라는 것은 색상환에서 정반대에 위치하는 색이며 서로를 돋보이게 하는 색이기도 하다. 문제의 보라를 가장 돋보이는 색이라고 생각한다면….

36

색채력 테스트 체험판

Q1. 다음 중 난색은 어느 것인가?

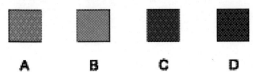

A　　　**B**　　　**C**　　　**D**

Q2. 다음 중 가장 무겁게 느껴지는 색은?

A　　　**B**

C　　　**D**

Q3. 이 색 ■ 의 보색은 어느 것인가?

A　　　**B**　　　**C**　　　**D**

Q4. 힌트

문제의 5색은 어떤 법칙에 의해서 순서대로 나열되어 있다. 가장 왼쪽의 선명한 빨강(카마인)은 오른쪽으로 감에 따라 희미해지고 마지막에는 밤색(마룬)으로 된다. 옆 색과의 차이는 채도의 차이이다. 가운데 색에서 채도가 약간 떨어진 색을 선택하면 된다.

Q5. 힌트

색의 혼색방법에는 2종류가 있고, 감법혼색은 섞으면 섞을수록 어두워지는 혼색으로 사이안(Cyan), 마젠타(Magenta), 옐로(Yellow)의 앞 문자를 따서 CMY로 나타낸다.

Q6. 힌트

노란색에 그레이를 넣으면 무슨 색이 되는지를 묻는 문제이다. 노란색에 그레이를 넣어도 색상은 변하지 않기 때문에 같은 노란색으로 명도가 낮아지는 것을 찾으면 된다. 저명도가 되면 색의 구별이 어려워지기 때문에 동일 색상을 찾는 것은 곤란하다. 그러나 A~D 중에서 노란색 계열은 한 개밖에 없기 때문에 쉽게 찾을 수 있을 것이다.

Q4. 다음 ?에 들어갈 색은?

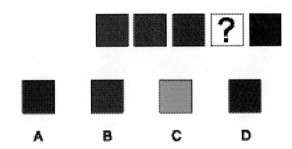

Q5. 이 색 ▮ 을 분해하면 어느 것과 어느 것인가?

C100%와
M100% 그리고

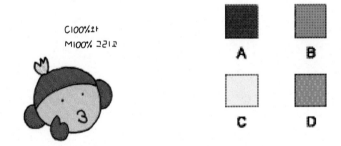

Q6. 다음 2색을 섞으면 어느 색이 되는가?

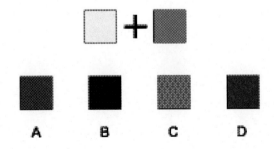

Q7. 힌트

사이안과 옐로를 배합하면 청·녹색계가 된다. 사이안의 비율이 높으면 청록계가 되고 옐로의 비율이 높으면 황록계가 된다. 사이안과 옐로를 같은 양으로 섞으면 선명한 녹색이 된다. 문제의 50%라는 것을 생각하면 녹색에서 약간 옅은 색을 찾으면 된다.

Q8. 힌트

배색이란 복수의 색을 배합하는 문제이다. 톤이라는 것은 밝다, 어둡다, 짙다, 옅다, 얇다, 깊다 등의 색을 나타내는 말이고 명도와 채도를 정리해서 배합한 것이다. 색상이 변해도 같은 이미지를 얻을 수 있는 것이 특징이다. 문제의 색과 색상의 차이로 같은 명도, 채도의 색을 찾으면 된다. 이미지가 이해되지 않을 때는 옷으로 바꿔, 전체적으로 안정된 코디를 하고 싶을 때의 배합을 생각하면 된다.

Q9. 힌트

색은 이미지와 밀접하게 연결되어 있다. 색으로부터 받는 이미지는 감각적인 부분으로 지배되기 때문에 개인차가 있지만 몇 개의 말은 현저하게 공통의 감각을 얻을 수 있다. 이미지도 '따뜻함'이나 '차가움' '딱딱함' '부드러움'이라는 것으로 분류해서 설명할 수 있다. '투명함'이라는 것은 차갑고 소프트한 이미지의 언어이다. 색에서도 한색계의 색은 투명한 이미지를 준다.

Q7. 사이안 50%, 옐로 50%의 색을 골라라.

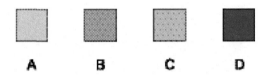

A   B   C   D

Q8. 이 색 과 같은 톤의 배색을 골라라.

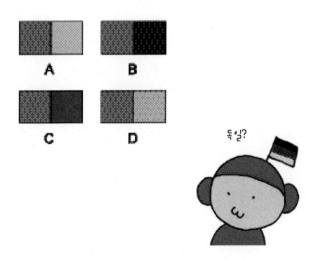

A   B

C   D

독일?

Q9. 투명한 이미지를 가지고 있는 색을 골라라.

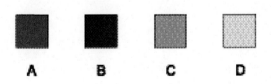

A   B   C   D

색채력 테스트 / 해답 및 해설

해답

A1 ··· B   A2 ··· D   A3 ··· C   A4 ··· D

A5 ··· A · D   A6 ··· C   A7 ··· C   A8 ··· B

A9 ··· D

체험판이기 때문에 보통 색채에 관련된 일이나 색채관련 자격시험을 목표로 하고 있는 사람에게는 단순한 문제였다고 생각한다. 혹시 실수했다고 해도 이것은 색채력 테스트가 어떤 것인지의 이미지를 알기 위한 체험판이고 연습문제이기 때문에 괜찮다.

간단하기는 하지만 포인트만 설명을 해 둔다. 자기가 실수한 부분을 체크해 보고 모든 문제를 맞춘 사람은 다음 페이지로 넘어가기 바란다.

해설

Q1
난색은 빨강 · 주황의 색상 그룹이다. 따라서 답은 B.

Q2
검정을 가장 무겁게 느끼기 때문에 정답은 D. 이어서 보라, 빨강, 노랑, 흰색으로 가볍게 느낀다.

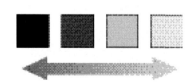

Q3

보라의 보색은 노랑. 녹색의 보색은 붉은 자주색이다. 정답은 C. 색상환 표 참조.

Q4

채도로 빨강을 정렬하면 아래와 같다. 정답은 D.

Q5

문제의 파랑의 CMY 표기는 (C100%, M100%, Y0).C100%는 D, M100%는 A이다. 정답은 A와 D.

Q6

Y100%에 50%의 그레이를 섞으면 어떻게 되는지를 말하는 문제이다. 색상은 변하지 않기 때문에 정답은 C.

Q7

C50%와 Y50%는 약간 옅은 녹색 이다. 정답은 C.

C25%·Y25%　　C50%·Y50%　　C100%·Y100%

Q8

A의 핑크는 연하다. C는 연하다. D 는 약간 안정감이 있지만 다른 톤이 다. 따라서 정답, 같은 톤의 배색은 B이다.

Q9

투명함이라는 언어 이미지를 가진 한색계의 옅은 색. 그 중에서도 물 색, 흰색은 그 이미지가 강하다. 정 답은 D.

'색채력' 에는 약간의 속임수가 있다. 언뜻 제각각으로 생각할 수 있는 이 테스트는 실은 5개의 부분으로 구성되어 있다. Q1과 Q2는 색채력의 기본지식 문제로서 색의 기본적인 성질과 색채심리의 기본, 색채지식에 대한 문제이다. Q3과 Q4는 색채 인지력의 문제이다. 색상, 명도, 채도로 구성되어 있기 때문에 그 세 요소를 수치화해서 분석하기도 하고 합성하기도 하는 힘을 알 수 있다. Q6은 색의 기억력, 재현력의 문제로 수치화한 색의 파라메트를 다시 한 번 색으로 하거나 기억하기도 하는 능력을 조사하고 있다. 마지막으로 Q8과 Q9는 색의 표현력이다. 색을 정확하게 상대에게 전하고 능숙하게 사용할 수 있는가에 관한 문제이다.

즉 색채력은,

색채력 기초지식
(색에 대한 기초지식을 가지고)

↓

색채인지력
(색을 정확하게 인지하고)

↓

색채분석력
(이해함으로써)

↓

색채기억력 · 재현력
(색을 정확하고 능숙하게 사용하여)

↓

색채표현력
(풍부하게 표현한다)

라는 일련의 능력이며, 테스트는 이 능력을 조사한 것이다.

1

색채력은 색의 기초지식을 가지고

아… 얼룩말색이군요

이 색 넥타이 있어요?

2

색을 확인하고 이해하여

그래도 손님의
얼굴색이라면…

3

정확하게 표현할 수 있는 능력이다

짙은 청색이
어울려요

헤에~

4

색채력이 높으면 색을 잘 다루어
서 편리하다

저 사람 일할
수 있어요

인생도 풍부해진다

5

그러나 색에 민감해졌다고 해서

응?

사장님!
별로
어울리지 않아요!

사용법을 실수하면…

6

암울한 인생이 기다리고 있다…

발령

색채력 테스트 실시개요

색채력이 어떠한 것인지 이해한 시점에서 실제 자기의 색채력을 점검하는 요령은 체험판과 같다. 단, 문제는 각 장르별로 되어 있고 전부 24문제이다. 제한시간은 1문항당 10초가 주어지므로 여유 있게 생각할 시간은 없다. 순간적으로 색을 간파하는 것도 색채력의 하나이다. 힌트와 참고자료없이 풀어보자. 종이와 필기도구가 준비가 되었다면 시작하기 바란다.

색채력 테스트 항목 / 중요한 테스트 내용

색채력 기초지식

· 색채 기본성질

· 색채심리 기본성질

· 색채 기초지식 외

색채인지력

· 색상 / 명도 / 채도 / 색상환 파악력 외

색채분석력

· 색채합성 · 분해력

· 배색조화(어울리는 색, 어울리지 않는 색의 판단) 외

색채기억력 · 재현력

· 색채기억력

· 색채재현력 외

색채표현력

· 색의 코디네이트 이론

· 색과 이미지 외

색채력 검증
(제한시간 1분 10초)

● 색채력 기초지식

Q1.
빛의 반사율이 가장 높은 색은?

A   B   C   D

Q2.
다음 중 팽창색을 골라라.

A   B   C   D

Q3.
다음 중 후퇴색을 골라라.

A   B   C   D

Q4.
다음 중 노랑을 띤 담홍색을 골라라.

A   B   C   D

Q5.

라일락색을 골라라.

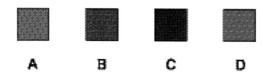

Q6.

시인성이 가장 높은 색을 골라라.

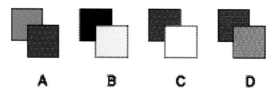

Q7.

진정효과를 기대할 수 있는 색을 골라라.

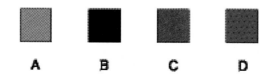

Q8.

시간이 길게 느껴지는 색을 골라라.

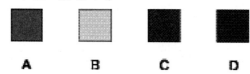

● **색채인지력**

Q9.

명도가 가장 높은 색은?

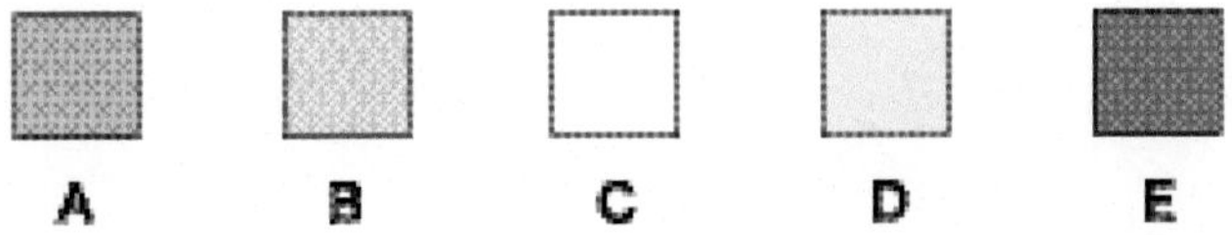

A   B   C   D   E

Q10.

이 색 의 보색은 어느 것인가?

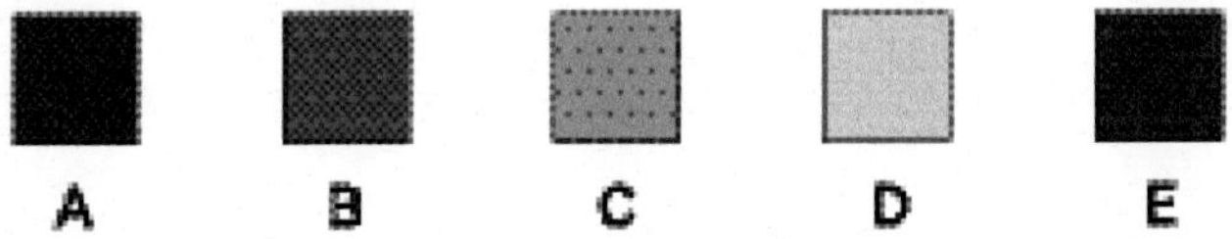

A   B   C   D   E

Q11.

다음 ?에 들어갈 색은?

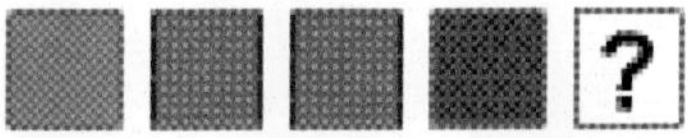

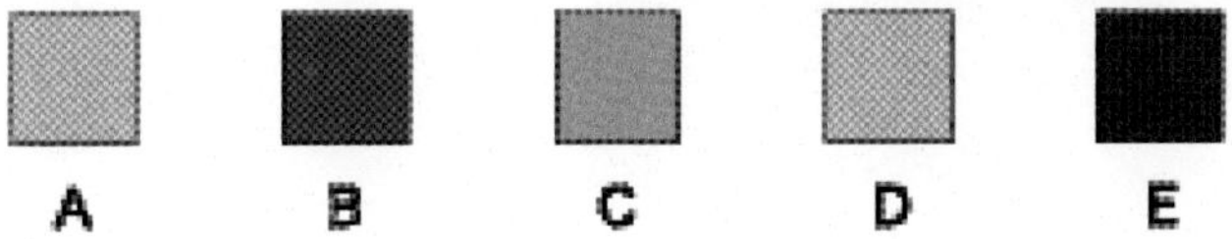

A   B   C   D   E

Q12.

다음 ?에 들어갈 색은?

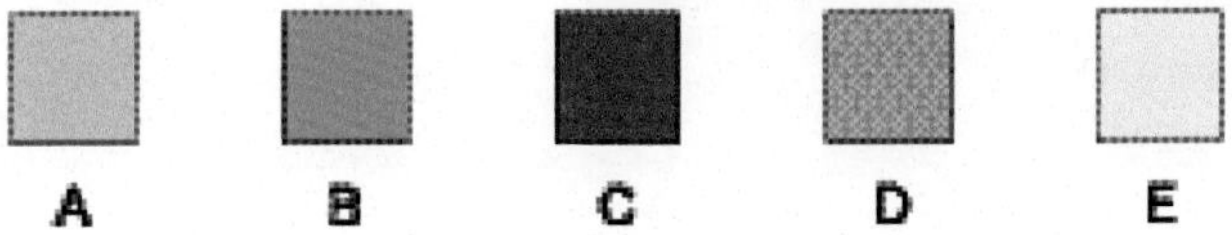

A   B   C   D   E

● 색채분석력

Q13.

이 색을 ▦ 분해하면 어느 것과 어느 것인가? (두 개 선택 / 감법혼색 : CM)

A   B   C   D   E

Q14.

아래의 두 색을 합하면 어느 색이 되는가? (감법혼색 : CMY)

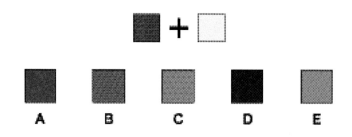

A   B   C   D   E

Q15.

아래의 배색으로 1색을 더해서 보다 자연스러운 배색을 만들어라.

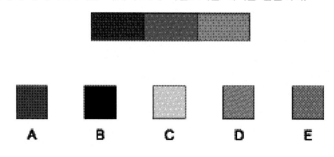

A   B   C   D   E

Q16.

아래의 3색을 합하면 어느 색이 되는가? (감법혼색 : CMY)

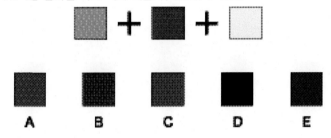

● **색채기억력 · 재현력**

Q17.

유효기간이 5년인 여권(빨강)을 골라라.

아래의 2색을 10초간 보고 다음 페이지를 펴라.

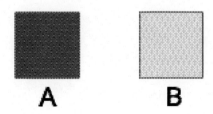

● 색채기억력 · 재현력

Q18.

A의 색은 어느 것인가?

※확인하기 위해서 되돌아가서는 안된다.

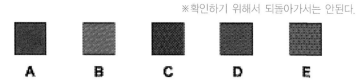

Q19.

B의 색은 어느 것인가?

※확인하기 위해서 되돌아가서는 안된다.

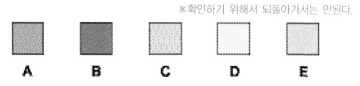

Q20.

이탈리아 국기의 초록은 어느 것인가?

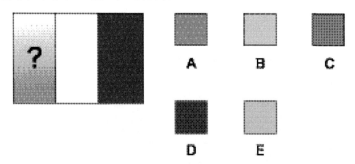

● 색채표현력

Q21.

쿨하고 모던한 이미지의 배색을 골라라.

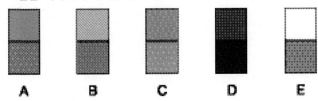

Q22.

가장 시크한 이미지의 배색을 골라라.

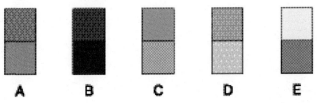

Q23.

두 색을 골라서 활동적인 이미지의 배색을 만들어라.

2개 선택

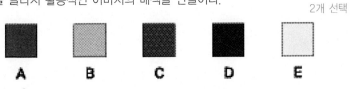

Q24.

새로운 과자를 만들었다. 상품의 특징인 '향기로움'을 표현할 수 있도록 2색으로 상품 포장을 만든다면, 어떤 색의 배합이 가장 좋을까?

2개 선택

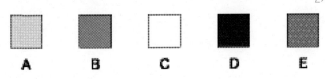

 색채력 테스트 / 해답 및 해설

색채력 기초지식

| A1 … C | A2 … B | A3 … D | A4 … A |
| A5 … D | A6 … B | A7 … D | A8 … A |

(각 2.5점 합계 20점 만점)

색의 성질과 색채심리의 기본적인 문제이며 색상명에 대한 지식도 필요한 문제이다. Q1에서 빛의 반사율이 가장 높은 것은 흰색. Q2의 팽창색은 난색계이고 고명도의 색. Q4 노랑을 띤 담홍색은 새벽녘의 하늘을 나타내는 옅은 노란빛이 감도는 빨강. 또 다른 이름으로 새벽녘 색이라고도 한다. Q7에서 진정효과가 있는 것은 파랑. 혈압을 내리고 긴장감을 없앤다.

색채인지력

| A9 … C | A10 … C | A11 … B | A12 … E |

(각 5점 합계 20점 만점)

색의 기본성질인 색상·명도·채도의 차이를 정확하게 인지할 수 있는지를 조사하는 문제로서 색의 보색관계는 색상환이 머리 속에 들어 있지 않으면 상당히 어렵다. Q9에서 명도가 가장 높은 것은 무채색인 흰색이다. Q11은 채도의 스케일로 오른쪽으로 가는 만큼 채도가 낮아지고 있다. Q12는 색상의 스케일. 주황과 황록으로 좁힐 수 있는 것은 노랑이다.

해설

● 색채력 기본지식

Q3
후퇴색은 한색계이고 저명도 · 저
채도인 색이다. 정답은 D.

실제 위치보다 뒤에 있는
것처럼 보인다.

Q4
A의 핑크는 연하다. C는 선명하고, D는
약간 안정감이 있지만 다른 톤이다. 따라
서 정답은 같은 톤의 배색 B이다.

Q5
보라색으로 혼동하기 쉬운 것이 라일
락과 라벤더. 라일락은 밝은 보라. A는
라벤더로 보라색 꽃. 정답은 D.

Q6
시인성이 가장 높은 배합은 노랑과 검정. 건널목의 차단기
색으로 멀리서도 재빨리 알 수 있다. 정답은 B.

빠~ 빠

● 색채인지력

보색관계

Q10
문제의 빨강 보색은 청록. 정답은 C.

Q11
채도 스케일. 같은 색상이기 때문에
정답은 B.

Q12
색상 스케일. 정답은 E.

색채분석력

색채를 분석하는 능력 중에서도 색을 만드는 CMY, RGB라는 가법혼색, 감법혼색을 이해하고 익혔는지를 조사한 문제이다. 색채감각을 가지고 있으면 색을 보고 무슨 색을 섞으면 되는지, 무슨 색으로 분석할 수 있는지를 알 수 있어서 편리하다.

그림을 그리는 사람은 감각적으로 알고 있겠지만 그림물감에는 '빌리디언' 이라고 하는 짙은 녹색이 있다. 이것을 녹색이라고 오해하고 있는 사람이 많이 있는데 주의하기 바란다. 빌리디언은 자연에 존재하고 있는 녹색에 가까운 색이며 나뭇잎을 그리는 데 적합하다. 순수한 녹색을 만드는 데는 빌리디언에 황록을 넣으면 된다. Q13의 녹색은 C100%와 Y100%로 된 녹색이라는 것을 알면 뒤는 간단하다. C100%와 Y100%의 색이 있기 때문에 그것을 선택하면 된다.

Q14는 마젠타 M100%에 Y100%를 넣으면 빨강(카마인)이 되는 것을 이해하는 문제이다. 문제의 마젠타가 M100%라는 것을 이해하고 있으면 쉽다. Q16은 감법혼색이기 때문에 C100%, M100%, Y100%를 합성하면 검정이 된다. Q15는 배색이론, 배색의 조화문제이다. 안정된 이미지에서 A와 E를 합치고 싶어진다. 그렇지만 문제의 3색은 같은 색상의 배합이라는 것을 알아차려야 한다. 배색은 같은 색상의 톤이다. 자연스러운 배합이라면 C가 바람직하다.

● 색채분석력

Q13

감법혼색법, CMY의 혼색방법. 컬러프린트나 인쇄에서의 색을 구성하는 기법이다. 문제의 녹색 CMY표기는 C100% M0% Y100%이다. A색은 C100%의 사이안이고, B는 M100%의 마젠타, D의 노랑은 Y100%이다. 정답은 문제의 녹색을 분해하면 A와 D가 된다.

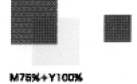

M100%+Y100%

Q14

마젠타(M100%)와 옐로(Y100%)를 합성하면 어떤 색이 되는지의 문제. 답은 A의 빨강. 이 빨강은 M100%와 Y100%에서 생긴다.

M75%+Y100%

M100%+Y75%

Q15

문제는 동일색상에서 명도차가 있는 배색. 빨강과 핑크, 블루와 물색이 전형적인 배색. A와 E도 안정되어 있지만 색상 차이이기 때문에 가장 자연스러운 배합으로는 되지 않는다. 그러나 실수했다고도 말할 수 없다. 자연계에 존재하는 배색이다.

색채기억력 · 재현력

색을 올바르게 기억하고 있는지, 정확하게 재현할 수 있는지의 문제이다. 단순한 기억력 테스트가 아니므로 색상, 명도, 채도를 이해하고 있지 않으면 색을 완전하게 기억하거나 재현할 수 없다. 사람들은 의외로 자기 주변에 있는 물건의 색을 확실히 기억하지 못한다. 여권과 같이 자주 사용하지 않는 물건의 경우 더욱 그렇다. 그 색을 재현할 수 있는지의 문제이다. 보고 있는 빈도에 의해서도 난이도가 다르기 때문에 개인차가 생기는 것을 이해하기 바란다. 한 번도 본 적이 없는 사람은 이 문제의 점수를 가산하지 말고 95점 만점으로 하여 합계점에 1.05를 곱하기 바란다. Q18, Q19는 순식간에 명도와 채도, 색상을 3개로 나누어 기억하는 것이 포인트이다. 정확하게 수치화하는 것이 목적이 아니기 때문에 색의 느낌과 명도, 채도는 대개 이 정도라고 기억하는 것이 요령이다. 참고자료인 먼셀의 색상환표를 이미지로 기억하라. 예를 들면 '5G'라고 되어 있다면 대부분 이것과 같은 색으로 재현할 수 있다. 이 감각을 키우는 것은 시간이 걸리지만 이것을 익히면 고도의 색채감각을 가질 수 있다. Q20은 Q17과 같이 색을 어느 정도 정확하게 재현할 수 있는지의 테스트이다. 힌트로 이탈리아 국기는 빨강이 표시되어 있기 때문에 녹색 톤은 대개 상상이 갈 것이다. 이탈리아 국기의 녹색은 진녹색으로 기억하고 있는 사람도 있겠지만 의외로 밝다.

● 색채기억력 · 재현력

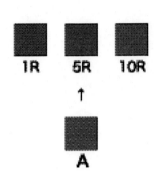

Q18
색은 색상, 명도, 채도로 분류해서 기억하면 잊지 않는다. 먼셀값, HSB표기를 기억하는 것은 무엇이든 좋지만 먼셀값이 단순해서 기억하기에 좋다.
지정색을 엄밀하게 수치화할 필요는 전혀 없다. 감각적으로 가까운 수치를 파악할 수 있으면 되기 때문에 'A'의 색상은 R이고 수치는 10R보다도 1R 가깝게 이 전후 정도라고 기억하고 있으면 된다.

명도는 '8' 전후, 채도는 '14' 전후로 기억하면 거의 같은 색을 재현할 수 있다.

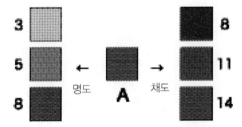

(참고) 먼셀 색상환

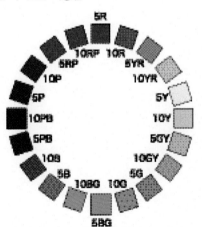

색상 명도 채도

정확한 숫자를 나타낼 필요가 없기 때문에 대강의 이미지로 먼셀값 표시를 하면 위와 같은 수치가 된다. 이 수치를 토대로 다시 색을 재현하면 된다. 그 외의 다른 색도 먼셀값으로 변환할 수 있는 색채감각을 기르자.

색채 표현력

A21 ··· E(5점)

A22 ··· A(5점), B(3점)

A23 ··· A · E(5점), A · C(3점), C · E(3점)

A24 ··· B · D(5점), B · C(3점), C · D(3점)

(합계 20점 만점)

색을 이해하고도 상대에게 정확하게 전달할 수 없으면 안된다. 여기에서는 색을 배합해서 이미지를 만들어 상품을 포장하는 일련의 과정 속에서 이미지와 색의 관계를 이해하는지에 대한 의미를 묻는 문제이기 때문이다. 여기에서 주의해야 할 것은 이미지 같은 감각은 개인차가 있기 때문에 단순하게 '정답', '오답' 이라고 양분할 수 없다는 점이다.

색과 이미지는 유연한 부분이 있다. 예를 들면 Q22에서도 가장 멋진 이미지를 얻을 수 있는 것은 톤과의 관계에서 보면 A이다. B는 고전적인 이미지이지만 안정된 컬러링이기 때문에 멋스럽지 않다고는 말할 수 없다. B에서 멋진 이미지를 얻는 사람도 있다. 따라서 Q22는 A가 가장 정답에 가깝다고 하지만 B를 선택한 사람도 결코 틀린 것은 아니다. 또 Q23의 액티브한 이미지는 난색을 사용한 선명한 톤의 배합이다. 따라서 정답에 가장 가까운 것은 A와 E라고 말할 수 있다. 그렇지만 A와 C의 배합이나 C와 E의 배합, 일반적인 것은 아니지만 A와 B, B와 E의 배합도 사용법에 따라서는 액티브한 이미지를 얻을 수 있다. 대부분의 참고서에서는 단순한 실수로 처리되는 것도 있지만 색은 사용법에 따라 매우 유연하다는 것을 이해하기 바란다.

● 표현력

Q21

쿨, 모던이라는 말에서는 냉정하고 차가운 인상을 받는다. 따라서 한색계의 배색을 선택하면 적당하다. 특히 모던이라는 말에서는 강한 대조나 흰색, 검정을 포함시킨 배색을 나타내는 것이 많고 E의 배색이 가장 가깝다고 생각된다.

Q22

멋진 배색은 순수하고 온화하고 성숙한 분위기를 감돌게 하는 배색. 컬러가 강해 그 분위기를 자아낸다. 가장 적당한 것은 A이지만 B도 틀린 것은 아니다. B의 배색은 어두우면서도 깊이가 있는 느낌의 톤이고 고전적인 배색이라고 할 수 있다. C는 A를 보다 연하게 한 것으로 고상한 이미지가 강하게 나온다.

Q23

'활동적'이라는 말의 이미지는 따뜻하고 선명한 색의 느낌과 잘 어울린다. 정답에 가장 잘 맞는 것은 A와 E. 오렌지색이 있다면 배색시켜도 괜찮다. C의 파란색은 연출에 따라서 '활동적인 배색이 되기도 한다.

Q24

언어 이미지가 더욱 난해해진 문제. 사람의 감성이 풍부한 만큼 어려운 문제이다. '감미롭다' 라는 언어 이미지가 가지고 있는 느낌이나 깊은 색조를 상상할 수 있으면 된다. 가장 적합한 것은 B와 D의 배합이지만 D색을 강조하기 위해서 C의 흰색과 맞추는 것도 괜찮다. A는 식품이라는 것을 생각하면 식욕을 감퇴시키는 효과가 있기 때문에 그다지 바람직스럽지 않다.

판정

모든 점수를 합하면 100점이 된다. 이 점수는 색채력을 예측하는 기준이다. 답이 복수가 되는 것도 색채력 테스트의 특징이라고 말할 수 있다. 문제에 따라서도 점수가 변하기 때문에 그다지 점수에 연연할 필요는 없다. 게임을 한다는 기분으로 하나의 참고수치로써 이해하기 바란다. 아래에 평가의 기준으로 점수마다 원숭이 명칭을 표기했다. 참고하기 바란다.

색채력별 평가 원숭이

• 85점~100점/ 비평원숭이

당신은 완벽한 색채력을 가지고 있다. 완벽한 지식과 품격을 지닌 색채계의 권위자. 색채평론가로서도 활약 가능하다.

• 65점~84.5점/ 모범원숭이

고도의 색채력을 익힌 타의 모범이 되는 원숭이. 다양한 분야에서 색채력을 살려서 활약할 수 있다.

• 40점~64.5점/ 기본원숭이

색채력은 평균. 이대로라면 인상도(印象度)가 떨어지기 때문에 조금 더 색채력을 익혀야 할 듯하다.

• 25점~39점/ 부족한 원숭이

색채능력이 떨어져 불안하고 색채력이 약간 부족한 원숭이. 기초적인 색의 성질과 색의 심리효과에 대한 지식도 조금 모자란다.

• 0점~24.5점/ 마녀원숭이

독자적인 세계관을 가진 존재. 사람들이 주목하지 않는 매우 독특한 마녀멋쟁이.

색채력 평가

비평원숭이
거의 완벽한 색채력을 가진 분. 색을 공부하고 있는 사람들의 정점에 군림하는 존재로서 색채계의 최고봉. 색을 정확하게 사용할 줄 알고 패션감각도 뛰어남. 색채평론가로서도 활약할 수 있다.

모범원숭이
고도의 색채력을 가진, 타의 모범이 되는 존재. 멋스러운 패션으로 몸을 치장하고, 디자이너나 아트디렉터로 활약하고 있는 사람이 많다. 색에 따라서 고급스러운 것을 간파하는 능력이 뛰어나다.

기본원숭이
색채감각은 평균 정도인 사람. 색의 기본적인 성질과 심리효과는 그런 대로 이해하고 있지만 간혹 실패하기도 한다. 패션에도 흥미가 있고 멋진 코디도 보이지만 항상 좋은 것만은 아니다.

부족한 원숭이
색채력이 평균보다도 조금 떨어진 존재. 색채감각에 자신이 없고 옷도 잡지도 가게 점원에게 맡긴다. 항상 색에 관해서 고민하고 있다.

마녀원숭이
미묘한 자기 나름의 색채감각의 소유자. 자기만의 세계관을 구축하고 있다.

색채력 테스트 관련 자료들
색채력 트레이닝 포인트 해설

색채력을 키우기 위해서는 이론을 익힌 후에 실전과 경험을 쌓는 것이 바람직하다. 계속해서 반복하는 사이에 이론은 감각으로도 승화된다. 1권에 이어 이 책을 읽게 되면 색의 성질과 색채심리에 대해서 많은 것을 배우게 될 뿐만 아니라 색채력을 훈련시키게 된다. 그러나 색채력을 키우기 위해서는 더 많은 참고서와 전문서적을 읽어야 한다.

색채력 기초지식 / 색채인지력

색채의 성질과 색채심리의 기본, 색상, 명도, 채도, 색상환에 대해서는 1권에서도 소개하고 있다. 또한 기본을 공부하고 싶은 사람은 컬러리스트 자격증 대비서를 읽어도 좋다.

색채분석력 / 색채기억력, 재현력

색채이론의 기본에 대해서는 4장에서도 소개하고 있다. 또 관심이 많은 사람은 전문서를 읽기 바란다. 색채합성·분석력은 그림물감을 실제로 사용해 보면 이해하기 쉽고, 컴퓨터그래픽으로 색을 만드는 것도 훈련이 된다. 색을 수치화하는 것은 먼셀 색상체계를 보고 자연스럽게 알고 싶은 부분, 색채체계가 실려 있는 책으로 공부하기 바란다.

색채표현력

색과 이미지도 매일 매일의 훈련이 필요하다. 빨간색, 파란색 등 단색이 어떤 이미지를 가지고 있는지 익히고 나아가 복수의 색을 배합했을 때 배색의 표현력이 풍부해지도록 훈련해야 한다. 『컬러이미지스케일』도 언어 이미지와 배색공부에 참고할 만한 책이다.

토막상식 | **색채력 테스트**

색채력 테스트는 한 번 풀어 본 뒤 답을 알고 있어도 계속 반복함으로써 색채력을 향상시킬 수 있다. 게임을 한다는 기분으로 가볍게 즐길 수 있을 것이다. 꼭 도전해 보기 바란다.

달라지는 색의 이미지와 기호
색의 이미지나 기호는 국가와 장소에 따라서 다르다

색의 이미지나 기호는 국가와 장소에 따라서 달라진다. 특히 색채 이미지에 관한 부분은 문화적 요인이나 종교적 배경 등 후천적으로 만들어지는 것이 많고 지역과 문화에 따라 차이가 있다. 예를 들면 노란색의 이미지는 세계의 지역마다 다르다. 고대 중국에서의 노란색은 황제가 사용한 고귀한 색으로서 일반 사람들은 사용할 수 없었다. 인도와 고대 그리스에서도 로열컬러였다. 광물자원과 황금 대용으로서 풍부한 것, 태양과 같은 의미로 숭배하는 나라도 있다.

반면 기독교권에서는 유다가 노란색 옷을 입고 있었다고 해서 '배반의 색'으로 부정적인 이미지를 갖고 있다. 미국에서도 노란색이 들어간 언어가 많지만 '질투', '겁이 많은' 등의 나쁜 의미를 가지고 있다.

동시에 색의 좋고 싫음의 기호도 지역에 따라서 다르다. 전세계적으로 파란색은 비교적 좋아하는 색이지만 다른 색은 나라에 따라 다른 결과가 나온다.

국가별 좋아하는 색 1위·2위·3위(출처 : 세계의 색채 감정사전)

한국 ········· 청·백·적	독일 ········· 청·황·적
중국 ········· 백·흑·청	네덜란드 ··· 주황·청·흑
미국 ········· 청·적·녹	러시아 ······ 흑·백·적

최근 10~60대를 대상으로 색채기호에 대한 앙케이트 조사를 실시했다(유효회답수 4,736명). 그 결과, 좋아하는 색 1위는 파란색(24.3%), 2위는 녹색(13.2%), 빨간색, 흰색, 핑크가 거의 같은 비율(8.5%)로 3위였다. 연령과 남녀비율, 앙케이트의 조사방법에서도 차이가 있기 때문에 간단하게 결론을 내릴 수 없지만 파란색, 녹색을 좋아한다고 볼 수 있다.

1

색의 이미지는 세계의 지역마다 다르다

4

예를 들면 노란색은 나라마다 이미지가 다른 색이다!

노란색이다!

두두두

다다다

인도는 좋은 이미지

2

종교적인 배경에

원숭이 엉덩이 빨간색이 신의 색이잖아

하하하~

5

독일·미국에서는 나쁜 이미지가 있다

노란색은 바나나다!

바나나

두두두 ·····

3

강한 영향을 받는다

야 — 신의 우체통아~~

두근두근

6

사실 —

너희들은 무엇이든 좋잖아!

그러면 왜 이 같이 지역에 따라서 어떤 색이 '좋다', '싫다'는 기호의 차이가 생기는 것일까? 거기에는 다음과 같은 4개의 큰 이유가 있다.

1. 문화 · 종교 · 역사적 배경의 차이

종교의 힘이 강한 나라는 종교가 색채 이미지에 영향을 준다. 예를 들면 이슬람교권의 녹색은 신성하고 특별한 색이다. 종교가 이슬람교인 나라는 대부분 국기에 녹색을 사용하고 있다. 이 같은 나라에서는 녹색의 이미지가 나쁠 리가 없다. 일본에서는 '관위십이계(冠位十二階 : 고대 조정에서 관의 색깔로 나타낸 위계)'의 최고위층의 색이 보라색이었던 만큼 고귀한 색으로서 오랜 동안 좋은 이미지가 계속되고 있는 나라도 있다.

2. 태양빛(조도)의 차이

그다지 알려지지 않았지만 색을 보는 방법은 세계 공통은 아니다. 지역(위도)에 따라 태양빛의 조도가 다르므로 아름답게 보이는 색도 다르다. 파장의 진폭 등 전문적인 것은 빼고 간단히 설명하면 적도를 중심으로 한 열대지역에서는 태양빛은 빨강, 주황, 노랑을 띤다. 그 결과 적도 근처의 나라에서는 명도와 채도가 높은 난색이 예쁘게 보이므로 좋아하는 경우가 많다. 그곳의 사람들은 빨강을 인지하는 빨간 시세포가 발달해 있다고 한다. 반대로 아한대와 한대지역에서는 태양빛이 파란색이나 보라의 색조를 띠게 된다. 위도 35도 전후의 동경과 로스엔젤레스의 도시에 사는 사람은 중채도 · 중명도, 색에서는 초록에 관심이 많다.

1

색을 보는 방법은
위도에 따라 다르다

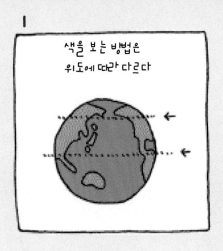

4

북쪽에서는 태양광이
파란 색조를 띤다

지구

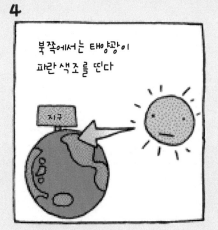

2

적도 근처에서는 태양광은
빨간 색조를 띤다

지구

5

그렇기 때문에 파란색이
예쁘게 보인다

이 파랑은 매우 예뻐—

3

그렇기 때문에 빨강이 예쁘게
보여서 빨강을 좋아한다

이 색이
어쩐지 좋아

6

그래도 뺨은 빨갛다…

뜨거워!

3. 공기 투명도의 차이

공기 중에 있는 먼지와 수분이 빛의 조도와 파장에 영향을 주어 색상이 달라보이게 된다. 건조한 지역은 공기 중에 장애물이 없기 때문에 빛은 가지고 있는 파장 그대로 지상에 도달하여 밝고 맑은 색으로 보인다. 그렇지만 습도가 높은 곳과 눈이 많은 곳은 빛에 탁색효과를 주게 된다. 북반구와 러시아 등 북쪽에 위치하고 공기가 나쁘며, 흐린 상태가 계속되는 지역은 저채도와 우중충한 색에 익숙해져 이런 색들을 좋아하는 경향이 있다(반대의 경우도 있다). 러시아 사람이 제일 좋아하는 색이 검정이라는 것도 납득이 간다.

4. 배경색의 차이

어떤 색이 아름답게 보이는 것은 그 지방의 풍토와 환경도 큰 요인이 된다. 그리스와 이탈리아 남부에서는 집의 벽을 하얗게 칠하는 곳이 많다. 이것은 반사율이 높은 흰색을 이용해서 태양빛을 차단하는 생활의 지혜이며(흰 석탄이 풍부하게 나오는 곳도 있지만), 투명한 듯한 파란 바다와 감청색 하늘이 만들어낸 대비는 아름다운 경관을 만들기도 한다. 전통이 살아 있는 교토, 가마쿠라와 같은 거리는 특정한 색을 가지고 거리의 색채를 만들고 있다. 거기에서는 거리에 맞는 색을 선정한다.

같은 색일지라도 이 같은 이유에서 보는 방법이 달라진다. 지역에 따라서 깨끗하게 보이는 색과 그렇지 않은 색이 있기 때문에 기호가 변한다. 이유는 이것만이 아니다. 색에 대한 사람의 취향은 이론보다 더 복잡하고 다채롭다.

1

지중해 연안은 흰색과 파란색의
대비가 아름답다

2

이탈리아 거리도 아름답다...

3

고장의 풍토가 사람의 취향에
영향을 준다

항상 본다   좋아한다

거리에 따라서는 고유색도 있다

4

브라질의 어떤 거리에는
고유색이 있습니다

에~

5

그것은
어떤 색입니까?

음~

6

리오데자네이로

거짓말 하지마

이로가 일본어로는 "색" 이라는 뜻.

선천적인 색채기호와 후천적인 색채기호
색채기호는 후천적인 영향이 강하다

색채기호에는 지역성이 있다고 4개의 이유를 들어 설명했지만 오늘날과 같이 정보화된 사회 속에서는 쉽게 받아들일 수 있는 다양한 색들이 넘쳐나고 있다. 대중이 좋아하는 스타일과 디자인은 TV의 정보와 인터넷으로 세계를 누비고, 다른 장소에서 간단히 모방된다. 점차 색의 지역성은 희미해질 것이다.

또 색채기호에는 지역차가 없다는 학설도 있다. 2007년 영국의 뉴캐슬대학의 연구팀이 미과학지에 발표한 논문에 의하면 여자가 빨강과 핑크를 좋아하는 예를 든 것은 문화적인 요인보다 생물학적인 요인에 의한 가능성이 높다는 설을 전개했다. 인류의 진화과정으로 보면 여자는 과일을 따는 생활에 적응해서 잘 익은 과일을 나타내는 빨간색에 민감해졌다고 한다.

저자의 견해와 이러한 학설, 그리고 앞에 제시한 4개의 이유가 합해져 색채기호가 만들어진다고 생각한다. 예를 들면 여자는 생물학적 요인으로 '빨간색을 좋아한다' 는 정보를 가지고 태어난다. 또한 사람은 파랑, 초록, 빨강(S, M, L추본)이라는 시세포를 가지고 있다. 그 때문에 이 세 가지 색에 민감해지고 이 같은 색을 좋아하는 사실을 이해할 수 있다. 그리고 후천적으로 문화와 지역 풍토의 영향을 받아 기호는 변해갈 것이다. 아이를 대상으로 한 기호조사에서 유럽의 아이들은 빨간색과 노란색을, 우리나라 유아들은 노란색, 흰색, 핑크를 좋아한다는 결과가 있었다. 노란색과 빨간색은 세계인이 공통으로 좋아하는 색이다. 문화와 풍토 같은 후천적인 요인에 오래 노출되지 않은 아이들에게는 어른들에게서 나타나는 지역차이는 없다.

1

색채기호는 태어나면서 가지고 있는 것에

2

나중에 여러 가지 정보가 합쳐져서 형성된다

3

그렇기 때문에 색채기호는 다양해진다

4

어른이 된 후에도

5

매일 여러 가지 정보로

6

색채기호는 계속 변한다

세계의 색채감각
대한민국

원색과 흰색을 좋아하는 민족

한민족은 흰옷을 좋아하여 '백의 민족'이라고 불린다. 한국은 사계절의 변화가 뚜렷할 뿐만 아니라 쾌적하여 흰색을 보다 깨끗하게 보이게 하므로 이러한 환경이 한국인이 흰색을 좋아하는 데 영향을 미쳤다고 생각한다. 그리고 한국은 오행설의 영향을 강하게 받아 이 5색(빨강·파랑·노랑·검정·하양)을 선명하게 사용하고 있다. 그래서 사찰이 화려하고 전통적인 치마 저고리도 화려한 색채를 띠고 있다. 한국은 원색을 좋아해서 감정표현이 확실하다고 말하지만, 그것은 성격이라기보다는 오히려 선명한 색으로 둘러싸여 감정적인 표현이 분명하기 때문이라고 생각할 수 있다. 일본인은 중간색을 좋아하는 애매한 국민성을 띠고 있지만 한국인은 흰색과 핑크 같은 원색을 좋아하고, 희로애락의 표현도 확실하다. 색채감각과 기호를 통해 국민성을 살펴보는 것도 재미있을 것이다.

색의 표현

한국에서는 실업자나 니트족(일할 수 있는 능력은 있으나 일에 대한 의지가 아예 없는 실업자)을 '백수'라고 표현한다. 잊어버리는 것에 대한 표현도 일본에서는 '새하얗다'라고 하지만 한국은 '새까맣다'라고 한다. 또 일본에서는 야한 영화를 '핑크색 영화'라고 하지만 한국에서는 '빨간색'으로 표현한다. 중간색과 원색을 좋아하는 기호의 차이가 이런 것에도 나타난다.

국기로 보는 색채의미

태극기의 중앙의 원은 태극(우주)이고 모든 것의 통일 일체성을 표현하고 있다. 모양은 양(빨강)과 음(파랑), 남녀, 정동(靜動)을 나타내고 있다.

76

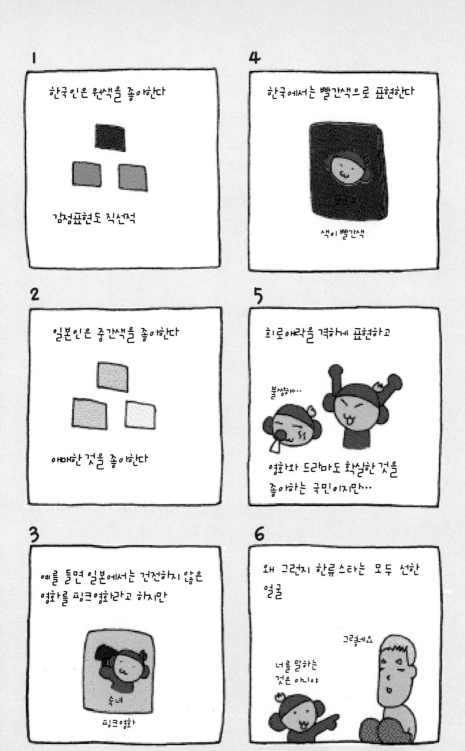

1
한국인은 원색을 좋아한다

감정표현도 직선적

2
일본인은 중간색을 좋아한다

애매한 것을 좋아한다

3
예를 들면 일본에서는 건전하지 않은 영화를 핑크영화라고 하지만

숙녀

핑크영화

4
한국에서는 빨간색으로 표현한다

색이 빨간색

5
희로애락을 격하게 표현하고

불쌍해…

영화와 드라마도 확실한 것을 좋아하는 국민이지만…

6
왜 그런지 한류스타는 모두 선한 얼굴

그렇군요

너를 말하는 것은 아니야

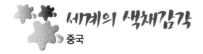

난해한 노란색

노란색은 고대 황제의 고유색이어서 일반사람은 입을 수 없는 고귀한 색이었다.
또 노란색은 대지의 색이며 오행설(우주만상은 모두 '나무(靑)·불(赤)·흙(黃)·금
(白)·물(黑)'로 구성하는 특별한 색이다. 중국 최초의 지배자는 '황제'라고 일컬
어졌지만 현대에서는 노란색에 대한 해석이 완전히 다르다. 서양의 노란색에 대
한 나쁜 이미지의 상품이 유입되어 그대로 정착하였으며, 중국사전에 노란색은
부패와 실패한 것을 나타낸다고 기록되어 있다. 노란색은 완전히 나쁜 이미지로
변형되었다.

운수에 좋은 주홍색

중국에서는 축하를 상징하는 색으로서 주홍(빨강)을 사용한다. 세뱃돈 주머니와
축하 주머니도 주홍색이고, 축하할 일이 있을 때마다 빨간 것을 보낸다. 이 주홍
은 좋은 의미로 사용되는 일이 많고 인기가 있거나 유명한 사람을 표현할 때도 사
용된다. 또한 '홍안'은 '성실'이라는 의미로도 쓰는데, 그것은 얼굴이 빨개져서
거짓말을 할 수 없다는 순수한 느낌을 주기 때문이다.

국기로 보는 색채의 의미

빨간색은 공산주의와 혁명을 나타낸다. 큰 별은 중국공산당 지도력(인민의 단결),
작은 별은 노동자, 중산계급, 애국적 자본가를 표현하고 있다. (민족을 나타낸다는
설도 있다.)

1

중국에서는 축하할 일이 있을 때
빨강을 자주 쓴다

4

배경과 사회자도 빨간색이 많다

2

축하 주머니도 빨강

덧붙이자면 돈을 넣을 때는 짝수

5

홍안이라는 것도 좋은 말이다

빨강다 → 얼굴 → 거짓말을 할 수 없다

성실은 미인이라는 의미인 듯

3

지금은 흰 웨딩 드레스가
주류를 이루지만

옛날에는 빨간색 옷이었다

6

그래도 이처럼 거짓말을
할 줄 모르는 사람은… 홍안일지라도

나는 과장님이 싫어

하하~

싫다……

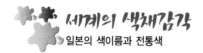

이를 까맣게 물들이는 일본의 신비한 색채문화

일본에는 이를 검게 물들이는 독특한 문화가 있었다. 에도시대에 여자가 결혼했다는 것을 나타낸 것이었지만 그 역사가 깊어 옛날 고분에서 발굴된 인골에도 이를 검게 물들인 증거가 있으며, 헤이안시대부터 전국시대까지 어른이라는 증거로 이를 검게 물들였다고 한다. 남자가 이를 검게 물들였던 시대도 있다. 이것은 일본인에게는 화장이고, 어른과 기혼을 나타내는 결혼반지와 같은 역할을 했는지도 모른다. 그러나 현대인으로서는 그 매력을 좀처럼 이해할 수 없을 것이다. 이를 검게 물들이는 문화가 없는 서양에서는 이것이 신기한 것으로서 비쳤음에 틀림없다. 그 신비한 일본 색문화에 페리총독도 놀랐다는 일화가 있다.

일본의 전통색

일본 전통색의 특징은 원색을 조금 억제한 미묘한 색조이고 회색빛이 감도는 수수함이 있다. 일본에서 발달한 식물염료는 빛깔을 진하게 내기 위해서 염색을 반복한다. 반복해서 색을 내기 때문에 수수함이 나오게 되고 그것이 일본 전통색의 특징이 되었다. 에도시대에는 막부가 서민의 사치를 금지하기 위해서 옷의 소재와 색에도 제한을 두어 서민들 사이에서 회색을 활용한 그레이와 갈색의 문화에 영향을 미쳤다.

국기로 보는 색채의 의미

일본국기의 기원은 확실하지 않지만 이미 에도시대에 주홍색 동그라미는 막부의 상징으로 사용되었다. 일본은 고대부터 태양숭배 신앙이 있었고 태양을 모티브로 한 것도 이해할 수 있다.

1

하얀 이는 보기 좋지만

반짝

2

옛날에는 이를 검게하는 것이 화장이었다

멋있다

3

1853년 페리가 일본에 왔을 때

외국과 통상을 해 주세요

페리입니다

4

오~ 일본여자는 매우 예쁘군요

5

이를 검게 물들인 사람을 우연히 만나···

방긋!

엇?

6

'일본정복기'에서 기묘했다고 소개하고 있다

일본에는 검은 배가 있다 검정색은 무서워

음 음

··· 너야!

색이 선명한 인도 민족의상 사리

인도 여성이 착용하는 민족의상인 사리는 색채가 풍부하고 선명하다. 이슬람교도 여성이 입는 검정 일색의 아빠야와는 대조적이다. 사리의 역사는 오래되었고 수천 년 전에 생겼다고 한다. 착용 스타일은 지방마다 다르지만 최근에는 비교적 표준화되었고 유명 디자이너의 작품도 있는 것 같다. 사리의 전통색은 빨강, 노랑, 초록이고 특히 빨간색 사리는 애정의 의미가 있어 결혼식에도 입는다.

색채거리

인도에는 색의 이름이 붙어 있는 거리가 있다. 서부에 있는 라자스탄주 죠도부르는 집들이 파랗게 칠해져 있어서 '블루시티' 라고 불리고 있다. 바라문(사제계급)들이 그 지위를 나타내기 위해서였지만 지금은 누구나 파랗게 칠하고 있다. 시원스럽고 쾌적하게 보인다. 자이사루멜의 별명은 '골든시티' 이다. 성벽으로 둘러싸인 요새 도시로서 모래색깔의 외벽은 태양빛을 받으면 황금색으로 드러난다. 라자스탄주 자이블은 '핑크시티' 라고 불리는데 힌두교에서 핑크는 환영을 의미하는 색이다. 통일된 색채거리는 사람들의 기억 속에 인상 깊게 남아 있다.

국기로 보는 색채의 의미

노란색, 흰색, 초록색의 3가지 색으로 구성되어 있다. 노랑은 용기와 힌두교, 초록은 공정·풍작과 이슬람교, 흰색은 2개 종교의 조화와 평화를 상징하고 있다. 가운데의 법륜은 고대 인도의 아쇼카 왕의 불전기념탑에서 유래했다.

파란색 터키와 초록색 터키

터키는 아시아 대륙과 유라시아 대륙이 걸쳐 있어 동서문화가 교차하는 신비한 나라이다. 색채도 유럽에서 흘러 온 기독교의 파랑과 이슬람교의 초록이 교차한다. 그 중에서도 이스탄불이 보여주는 것은 푸른색의 터키이다. 이슬람교 사원 모스크(회교사원)에서도 압도적인 존재감을 드러내는 것은 '푸른 회교사원'이라고 불리는 술탄·아푸멧트·쟈미이다. 내부에는 푸른 타일이 선명하고 장엄하게 칠해져 있다. 근교에 있는 아야소피아는 이슬람과 기독교가 공존하는 신비한 건물이다. 터키의 수호신은 푸른 눈의 나잘·본쥬이다. 터키에서 패션의 일부가 되어가고 있는 것 같다. 또한 국민의 99%가 이슬람교도인 터키는 이슬람의 상징이기도 한 초록을 이스탄불의 교외에서 자주 본다. 기업의 간판이나 로고마크는 이슬람교의 상징인 초록을 중심으로 황록이 눈에 띈다. 2개의 종교가 존재하고 그것을 상징하는 2개의 색채가 인상적인 나라이다.

한편, 국기에 있는 빨강은 터키의 전신인 오스만제국을 상징하는 색이다. 특히 상징적인 것은 정치세계에 남아 있다. 터키의 선거는 후보자의 대부분이 빨강을 사용하기 때문에 선거가 가까워지면 거리는 온통 빨간색 간판과 포스터로 넘쳐난다.

국기로 보는 색채의미

빨강은 오스만 왕조의 상징이었고 별은 민족의 진보와 국가의 독립을 상징하고 있다. 전투에서 흘린 피에 3일간 달이 비쳐 있었다는 등 국기에는 여러 가지 신기한 전설이 있다.

1

터키 국기는 신비한 전설이 많다

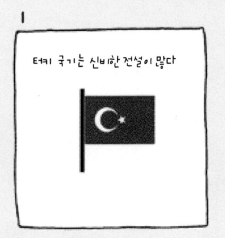

2

빨강은 오스만터키의 색
달과 별은 민족의 진보와

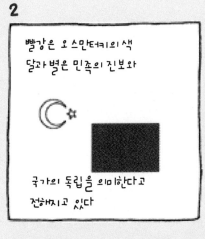

국가의 독립을 의미한다고
전해지고 있다

3

그렇지만 그 유래는 피의 바다에
달빛으로 반사된 별이라는 둥

4

오스만 1세의 가슴에서 달과
별이 나와서 예언했기 때문…

이라고도 말하고 있다

5

그래도 가장 신기한 것은 터키
국기의 달을 모방하여 만든 빵이

6

크로와쌍이라는 사실…

이거 맛있다
프랑스로 가져 가야지

세계의 색채감각
프랑스

유럽에서는 전체적으로 파란색을 좋아하는 경향이 강하지만 프랑스 사람은 특히 더 좋아한다. 평범한 색이었던 파란색이 12세기 이후 마리아의 상징색이 되자 상류계급에 단숨에 정착했다. 또 국가의 문장에 파란색을 사용한 것도 인기의 원인이 되었다. 그러나 정말로 파란색을 좋아하게 된 것은 프랑스 혁명에서 비롯되었다고 말할 수 있을 것이다. 자유, 평등을 내세우며 싸웠던 위병대의 옷은 푸른 상의와 흰색 바지였다. 국민의 방패가 되어 싸웠던 위병대의 파란색은 혁명의 상징이자 자유의 상징이었다. 파란색은 신뢰와 안정의 색이기도 하다. 그 영향으로 파란색은 유행색이 되었다.

좋아하는 색으로 인해 죽게 된 나폴레옹

엠페러그린이라는 색이 있다. 여기서 엠페러는 프랑스의 나폴레옹을 뜻하며 엠페러그린은 그가 좋아했던 색이다. 나폴레옹은 실내의 벽과 장식을 이 색으로 통일할 만큼 좋아했다고 한다. 나폴레옹의 사인은 처음에는 위암이라고 알려졌지만 해부를 해 본 결과, 대량의 히소가 검출되었다. 독살설도 있었지만 조사해 보니 이 히소에는 푸른빛의 염료성분이 들어 있었다는 것이 밝혀지게 되었다. 나폴레옹은 자기가 좋아하는 색 때문에 죽었는지도 모른다.

국기로 보는 색채의미

프랑스 국기는 파란색, 흰색, 빨간색으로 된 3색기이다. 파란색은 자유, 흰색은 평등, 빨간색은 박애·우애를 나타낸다. 예전에는 파랑을 굵게, 빨강은 가늘게 했었지만 지금은 균등하다.

86

1

엠페러그린의 별명은 파리스 그린

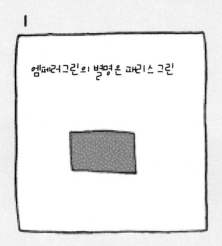

2

프랑스 황제 나폴레옹이
좋아하는 색이다

3

나폴레옹은 이색을 좋아했다

으~ 좋아

4

나폴레옹 사후에 체내에서
히소가 검출되었다

5

파리스 그린 염색 성분에서
히소화합물이 발견되었다

히소입니다

그는 이색 때문에 죽었는지도 …

6

그 후 그 독성 때문에 파리스 그린은
살충제가 되었다…

어떻게 좀 안될까
이미지가 나쁜데

찍찍

나폴나폴

백악관(화이트하우스)은 왜 흰색?

백악관은 미국의 대통령과 가족이 생활하는 관저이며, 조약과 중요법안의 조인식이 이루어지는 미국을 대표하는 건물이다. 외벽 색 때문에 그렇게 불리게 되었지만 왜 흰색이었을까? 대통령 관저는 링컨시대부터 있었지만 옛날에는 흰색이 아니었다. 영미전쟁 때 외벽만 남기고 전부 불에 타서 수복시(修復時) 타다 그을린 곳을 하얗게 칠한 것에서 외관이 흰색으로 되었다고 한다(다른 설도 있다). '화이트하우스' 라고 불리게 된 것은 26대 루스벨트대통령 시대부터이다. 흰색 이미지의 외관은 깨끗하고 성실한 정치의 인상을 주게 되어 매우 호감이 간다. 덧붙여 말하자면 내부에는 블루 룸, 레드 룸, 옐로 룸 등 색채가 풍부한 방들도 있다.

케네디 대통령의 이미지 전략

1960년 대통령선거의 텔레비전 토론회에서 존 F. 케네디 후보는 성실함을 표현하는 감색 양복에 정열적인 빨간색 넥타이를 착용했다. 텔레비전 화면에 비친 그의 모습에서 사람들은 그의 능력과 성실함을 전달받았고 연설은 대성공을 거두어 상대 후보를 역전극으로 제압하고 대통령에 당선되었다. 이 이미지 전략은 색채심리계에는 전설로 남아 있다.

국기로 보는 색채의 의미

미국의 국기는 흰색과 빨간색의 13개 가로줄 무늬에 50개의 별이 늘어서 있는 국기로 세계에 가장 잘 알려져 있다. 별의 수가 '주(州)' 의 숫자를 의미한다는 사실도 널리 알려져 있다. 처음에는 줄무늬의 개수도 늘리려고 하였으나 색의 동화효과로 인하여 핑크색으로 보이기 때문에 13줄로 되돌렸다는 사실은 그다지 잘 알려져 있지 않다.

1

미국 국기에 있는 별은 주의 수이다

2

1960년에 하와이가 주가 되어 별은 50개가 되었다

3

독립했을 때는 13주였었기 때문에 별도 13개

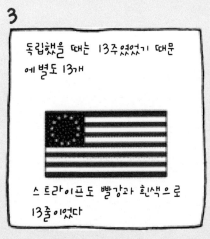

스트라이프도 빨강과 흰색으로 13줄이었다

4

1795년 2개의 주가 더해지자

별도 스트라이프도 15줄로 되었다

5

1818년에는 주가 5개 더해지면서 스트라이프가 20줄로 되자 핑크색으로 보여서

헤에라~

다시 13줄로 되돌렸다

6

혹시 알아차리지 못하고 계속 늘려갔으면...

찰칵~

미국 국기는 굉장했을 것 같다

국기의 색채
세계 여러 나라 국기의 색채경향

유사한 디자인도 있지만 완전히 달라지기도 하는 세계의 국기. 국기의 색채는 그 나라의 종교와 풍토, 자연을 상징하고 있는 것이 많지만 그 중에는 신기한 것이 있다. 그래서 지역에 따라 선호하는 색이 있는지, 전 세계 196개국의 국기를 지역마다 분석 · 조사해 보았다.

※ 조사대상국 수는 지역에 있는 실제 나라 수와 다른 경우도 있다. 흰색과 특정의 의미를 갖지 않는 색의 경우, 배경색으로 취급하지 않는다.

아시아(조사대상국 40개국)

[사용색 1위 적색계 32개국 / 2위 흰색 27개국 / 3위 녹색 14개국]

사용색의 1위는 빨강. 아시아는 빨간색 국기가 많은 것이 특징이고 그 사용률은 80%로 높다. 일본과 인도네시아처럼 태양을 나타내는 경우도 있지만 북한과 중국처럼 사회주의 · 공산주의의 상징, 혁명 · 자유를 표현하고 있는 나라도 있다. 이슬람교 국가에서는 이슬람교를 상징하는 녹색을 사용하고 있고 녹색이 많은 것도 아시아의 특징이다.

오세아니아(조사대상국 14개국)

[사용색 1위 청색 11개국 / 2위 적색 5개국 / 3위 황색 5개국]

영국연방 가맹국이 많아서 국기 안에 영국 국기를 가진 나라가 많다. 색채로 볼 때 특징적인 것은 청색계이다. 바다로 둘러싸인 지역인 만큼 대부분의 나라는 파란색을 태평양의 상징으로 사용하고 있다. 일본 국기와 꼭 닮은 디자인에 색만 다른 파라오 왕국의 국기도 흥미롭다.

1

오세아니아 국기는 파란색이 많다

4

1994년에 독립했을 때 공모로 제정되었다

2

이것은 태평양으로 둘러싸인 국가가 많기 때문

5

노란색 원은 만월이고 왼쪽으로 약간 비켜 있다

이것은 바람에 기가 나부끼면 중심으로 보이기 때문에…

헤에아~

3

일본과 꼭 닮은 오세아니아에 있는 파라오 공화국의 국기

6

그래도 사실은 일본의 디자인을 모방하여 일본에 실례가 되기 때문에 중심을 피했다…

그 그래…

고 하기도 한다

아프리카(조사대상국 54개국)

[사용색 1위 녹색계 42개국/ 2위 적색 39개국/ 3위 황색 26개국]

다른 지역과 비교하면 녹색이 많고 용기와 희망, 자연, 삼림을 상징하고 있다. 검정이 약간 많은(전체 30%) 것도 특징이다. 검정색은 아프리카 대륙의 상징으로 되어 있다

유럽(조사대상국 40개국)

[사용색 1위 적색계 31개국/ 2위 흰색 25개국/ 3위 청색 19개국]

파란색을 매우 좋아하는 지역이지만 전체적으로 국기의 색은 파랑보다 빨강이 압도적으로 많다. 역으로 녹색과 검정은 극단적으로 적다. 빨강은 정열과 용기, 싸움에서 흘린 피를 나타내고 있다. 북미의 대부분은 파란색과 흰색을 사용하는 경향이 강해지고 있다.

북아메리카, 남아메리카(조사대상국 36개국)

[사용색 1위 적색계 24개국/ 2위 청색 24개국/ 3위 흰색 22개국]

비교적 색상의 밸런스를 잘 맞춰 사용하고 있는 지역이다. 자연의 상징보다는 독립을 의식한 듯 흰색에서 평화와 자유, 빨강에서 용기와 단결 · 귀중한 피를 표현하는 경향이 있다.

구 소련(조사대상국 12개국)

[사용색 1위 적색계 9개국/ 2위 청색 7개국/ 3위 녹색 5개국]

이슬람교의 녹색, 기독교의 빨강이 섞이면서 자연과 희망, 자유를 표현하고 있다. 농업의 중요성을 알리기 위해 국기에 농업과 생산물을 상징하는 컬러를 사용하는 나라도 많다.

1

올림픽기의 바퀴는 오대륙을 나타
내고 있다

검정 바퀴는 아프리카 대륙이다

2

아프리카는 다른 지역보다 검정을
사용하는 국가가 많고
검정 인상도 강하지만

사실은 녹색이 가장 많다

3

모리타니 이슬람 공화국은 녹색이
주이고

중앙에 달과 별

4

나이지리아 연방공화국은 3개중에
2개가 녹색

5

잠비아 공화국도 녹색이 많지만

사회주의 인민 리비아 · 아랍국가의
녹색에는 당할 수가 없다

6

전부 녹색이다

일본에서는 고귀한 색이라고 하면 '보라' 를 상상하는 사람이 많다. 보라는 성덕태자가 제정한 '관위십이계' 의 최고위의 색(2~4위까지도 보라 계통의 색)이다. 각각의 관위에 의해서 관과 관복은 색으로 분리되어 있었다. 당시에 천을 보라로 물들이는 것은 지치[紫] 뿌리를 이용했기 때문에 엄청난 노력과 시간이 걸렸다. 그래서보라는 지위가 높은 사람에게만 허용된 귀중한 금기색이었다. 금기색은 귀중함과 그리움이 있으며 고귀한 이미지를 만든다. 로마제국에서도 보라는 조개껍질(자색염료의 원료가 됨)로 물들여 황제와 귀족 이외에는 사용이 금지된 매우 고귀한염료였다. 영어 'born in purple' 이 고귀한 가문에서 태어나다란 의미인 것을 봐도 보라색에 대한 좋은 이미지를 짐작할 수 있다. 또 노란색은 중국에서는 로열컬러였고 일본에서도 코우로젠이라고 하는 황토색 같은 수수한 노란색은 천황 이외에는 착용할 수 없는 금지된 색이었다.

이 보라와 노란색처럼 대부분의 금기색은 염료가 귀했기 때문에 일부 귀족과 왕족만이 독점할 수 있었다. 예를 들면 로마제국시대에는 겨우 1그램의 보라색 색소를 얻기 위해서는 2,000개나 되는 조개가 필요했다. 다른 나라에서도 비록 금기색이 되지는 않았어도 빛이 바래지 않은 염료는 왕후귀족이 독점하였기 때문에서민에게는 빛이 바랜 것밖에는 돌아오지 않았다. 그러나 시대가 지나고 염료기술이 발달되어 질 좋은 색을 간단히 만들 수 있게 되자 금기색은 세상에 넘쳐나고가치가 떨어지기 시작했다.

식물의 염료에 의존하지 않고 세계 최초로 만들어진 합성염료는 다름 아닌 보라색이었다.

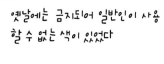

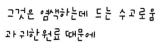

바렌 : 스모선수들이 앞에 두르는 수술
요코즈나 : 스모의 최상위 계급

토막상식 | **색을 분해하여 기억하는 합리성**

색을 분해하여 기억하는 연습을 하자. 색을 분해하는 것이 어렵다고 생각할 수 있지만 실은 인간의 눈은 색의 색상, 채도, 명도를 구별하여 뇌에 전기자극을 보내고 있다. 이러한 색상, 채도, 명도의 정보는 후두엽의 시각연합으로 종합하여 처리된다. 그리고 고유의 색 정보로 인식되어 시각정보의 형태와 함께 기억된다. 색을 분해하여 기억하는 것은 연습하기만 하면 그다지 어렵지 않다. 색의 분해는 항상 머리속에서 이루어지고 있는 일이기 때문이다.

3장

색채심리를 이용한
간단한 다이어트

색채심리는 다양하게 몸과 감각에 영향을 미친다. 이 구조를 활용하면 다이어트에도 효
과적으로 사용할 수 있다. 이 장에서는 색채심리와 다이어트와의 관계,
식욕을 조절하는 방법을 소개한다.

시각과 미각
맛에서 시각과 미각은 어느 쪽이 중요한가

맛은 시각이 말한다

맛을 보는 데 사람은 어느 감각을 사용할까? 많은 사람들이 미각은 정해져 있다고
말할 것이다. 확실히 맛을 느끼는 곳은 혀의 표면에 있는 미라이(혀의 점막에 있으며
미각을 담당하는 작은 기관)라고 하는 수용기관이다. 맛의 성분이 미라이에 들어가면
신경을 자극하여 뇌로 전달된다. 그러나 이 미각은 다른 감각과 비교하면 둔감하
다는 것을 알 수 있다. 과즙율이 서로 다른 오렌지 주스를 준비한 후 눈을 가리고
가볍게 코를 잡고 마셔보면 거의 그 차이를 알 수 없다. 그것은 주스의 맛을 사람
의 미각이 아니라 색과 냄새로 판단하는 것임을 알 수 있다. 메론과 감도 눈을 가
리고 먹으면 그 차이를 잘 알 수 없다. 비싼 메론을 먹을 필요가 없다는 생각이 든
다. 음식이 맛있다고 판단하는 것은 실제로는 시각이다. 음식이 다채로울 경우 시
각에 의존하는 부분은 더 클 것이다. 게다가 혼자서 밥을 먹거나 화가 났을 때 먹
으면 맛이 나지 않는다. 미각은 감정과도 관련이 있기 때문이다.

미라이의 수는 변한다

미라이의 수는 나이와 함께 변한다. 어린아이 때는 수만 개가 있지만 성인이 되면
1만 개가 채 못되고 장년기가 되면 7,000개 이하로 줄어든다. 어렸을 때는 맛에 민
감해서 과자 등의 자극을 원하는 것도 그 때문이라고도 할 수 있다. 미각은 어린
아이가 예민하다(그렇다고 해도 복잡한 맛을 분간할 수 있는 것은 아니다). 건강상태에 따
라 맛이 달라지기 때문에 컨디션이 나쁘면 맛을 잘 느끼지 못한다.

1

혀에는 미각이라는 것이 있고

맛의 성분은 미각이의 신경을 통해서

2

뇌에 전달되어 맛을 느낀다

3

그래도 이 미각은 둔감하여 시각과 후각의 영향을 매우 크게 받는다

4

예를 들면 눈을 가리고 코를 잡고 생감자를 먹게 한다

사실은 감자도 사과다

아삭

5

이것을 사과라고 하면 대부분의 사람은 착각을 한다

신난다

맛을 모르겠네…

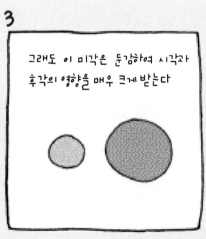

그리고 눈을 가리고 코를 잡게 하면

6

모두 매우 놀랄…것이다

앤 생감자도 맛있어

원 원숭아…

색과 식품, 식욕
식욕을 환기시키는 색과 감퇴시키는 색

식품의 색

일반적으로 선명한 색채를 가지고 있는 식품은 몸에 좋다. 예를 들면 토마토같이 빨갛고 선명한 야채는 항산화작용과 항암작용을 하고, 고기 같은 빨간 식품은 피와 살을 만드는 중요한 역할을 한다. 녹색 식품은 몸의 상태를 조절하여 편안하게 만든다고 알려져 있다. 왠지 녹색야채가 먹고 싶다고 느낄 때는 몸이 그 색을 원하는 것이기 때문이며 그런 때는 바로 그 음식을 섭취하는 것이 좋다. 최근에는 아이들에게도 식품에 대한 지식과 판단력을 키우는 교육을 하고 있으며, 음식을 빨강, 노랑, 녹색 등으로 분류하여 균형 있는 식사가 되도록 지도하고 있다.

식욕색

식품 중에서 빨간색과 오렌지, 노란색 등의 선명한 난색은 식욕을 증진시키는 것으로 알려져 있다. 선명한 색을 보고 있으면 위장의 움직임이 활발해져 먹고 싶은 욕구가 생긴다. 또 과거에 먹어 본 적이 있는 맛있는 식재료와 겹쳐져서 '맛있을 것 같다' 고 인식하게 된다. 한편, 보라와 황록, 파랑은 식욕을 감퇴시키는 색이다. 보라색과 파란색 밥이 눈앞에 있어도 전혀 맛있는 것처럼 느껴지지 않을 것이다. 그것은 과거에 보라색이나 푸른색 밥을 먹었던 적이 없고 비슷한 것도 알지 못하기 때문이다. 상상이 가지 않는 맛에 대해서는 일종의 두려움마저 느끼게 된다. 식욕색은 식문화의 영향을 후천적으로 강하게 받기 때문에 이것도 지역이나 세대에 의해서 크게 달라지고 있다.

1

선명한색의 식품은 몸에 좋다

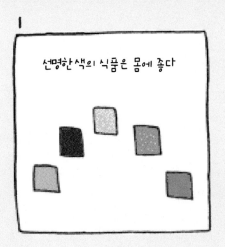

2

빨간 야채는 암 예방과 항산화작용
이 있다
고기는 몸을 구성하는 성분이다

3

녹색 야채는 몸의 상태를 조절해 주
는 효과가 있다

4

최근에는 식품에 대한 지식과 판단
력을 키우는 교육이 활발하게 실시
되고 있다

몸에 대한 관심도 늘어났다

5

식품에 흥미를 갖는 것은 다이어트
에도 도움이 된다

이 카레 맛있어~
무엇을 넣었지?

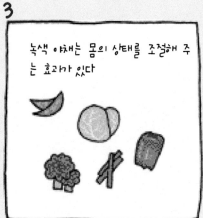

6

어이!

3분
카레

식욕색

사람은 다채로운 식욕색을 가지고 있다. 빨강, 노랑 등의 선명한 색은 물론이고 밥이나 콩의 흰색, 검정깨와 김 등 무채색까지 다양한 색의 음식을 먹는다. 특히 일본인은 검은색에서 깊은 맛을 상상한다. 일식에서는 검정그릇을 자주 쓰고, 양갱은 검은색이어서 더 단맛을 느낀다. 그렇지만 서양인은 검은색 음식이 그다지 많지 않아 검정에 식욕을 거의 느끼지 않는다. 미국 어린이는 보라와 청색이 들어간 컬러풀한 초콜릿을 좋아한다. 또 미국에는 파랑과 보라를 이용한 디저트도 있다. 요즘은 외국 음식문화의 영향을 강하게 받기 때문에 젊은 층을 중심으로 외국 음식문화를 받아들이고 있다. 식욕색도 문화적인 영향을 받아서 변하고 있다.

식욕색이라는 것은

식욕이라는 것은 무엇일까? 간단하게 말하면 음식을 먹고 싶다는 욕구이다. 식욕을 조절하는 것은 대뇌의 시상하부에 있는 섭식중추이다. 그리고 '언제' '어디' 에서 '누구' 와 '무엇' 을 먹을지, 먹는 행동을 억제하는 것은 전두부이다. 식욕은 시각, 미각, 후각의 자극과 초조할 때 불쾌감을 받아서 생기는 정신적인 식욕과 공복감을 채우려고 하는 본능적인 식욕이 있다. 날씨가 추워져 피부가 차가워지면 체온이 저하되고 그 자극이 식욕중추로 전해져 식욕이 증가한다. 이것을 더운 여름을 지내고 겨울이 오기 전에 저항력을 갖게 하려는 본능이라고 말하고 있다. 이것이 우리가 '식욕의 계절 가을' 이라고 하는 것의 정체이다.

1

식욕을 조절하고 있는 것은 대뇌의 시상하부

2

먹는 것을 억제하는 것은 전두부

3

그리고 식욕에는 2종류가 있다.

4

공복감을 채우려고 하는 진짜 식욕과

배가 비었다

→

배고파

→

식욕

5

자극과 불쾌감을 받아서 생기는 정신적인 식욕이다

자극 초조

↙

뭔가 먹고 싶다

↙

식욕

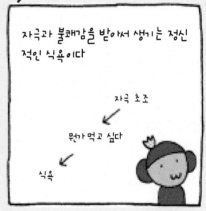

6

아내에게는 3개의 식욕이 있다

오~
이 젊은 애들
먹고 싶어!

잡지

식욕에는 '가짜'가 있다
다이어트를 방해하는 가짜 식욕

가짜 식욕

식욕에는 정신적인 식욕과 본능적인 식욕이 있다. 본능적인 식욕은 영양이 부족해서 공복감의 결과로 생긴 식욕이며, 진짜 식욕이라고 할 수 있다. 위는 공복상태에서 시간이 흐르면 수축되어 공복감이 생기고 충분히 식사를 하면 위가 늘어나 포만감을 느낀다(단 공복·포만의 요인은 위의 활동만이 아니다). 반면, 정신적인 식욕은 포만의 상태가 되어도 식욕의 억제로 이어지지 않는다. 무서운 일이지만 몸에 필요하지 않아도 계속 먹는다. 이것이 가짜 식욕이다. 특히 초조한 상태에서 계속 먹으면 진짜 식욕이 채워진 후에도 폭식을 하게 된다. 포만의 신호도 가짜 식욕을 멈추게 할 수 없다. 다이어트를 방해하는 최대의 적은 바로 식욕이다.

식욕의 속삭임

'맛있는 음식을 남기면 아깝잖아! 다 먹고 났을 때의 만족감이 최고지'.
식욕은 우리에게 이렇게 속삭인다. 현대는 맛있는 것이 넘쳐나고 있고, 식사는 절호의 기회이다. 그리고 이 자극은 한 입으로는 채워지지 않고, 좀처럼 만족하지 않는다. 또한 이 식욕은 손이 닿는 곳에 자극(음식)이 있으면 조금만 먹어보라고 유혹을 하고 먹는 것을 멈추게 하지 않는다. 식욕은 바로 자기 자신이 만든다.

1

진짜 식욕은 포만이 되면 만족하지만

음 좋아~
만족했어

2

정신적인 식욕은 포만감으로 멈출
수 없다.

아~ 맛있어서
멈추어 지지 않아~

이것을 가짜 식욕이라고 한다

3

실은 이 가짜 식욕이 다이어트를 방해
하고 있다

그, 그래~

4

보통 식사로는 진짜와 가짜 식욕을
구별하기 어렵다

진짜 가짜

5

가짜 식욕은 점점 커진다

진짜 가짜

맛있어~
냠냠

6

몸에 주는 위험은 늘어난다

안돼   듬뿍

비만의 구조
어째서 비만이 생기는 것일까

색채심리를 이용하여 어떻게 다이어트에 접근하면 되는지를 설명하기 전에 비만에 대해서 조금 설명하고 싶다.

비만은 과잉영양소의 섭취

쌀과 같은 탄수화물은 당분이며, 운동으로 소비하지 않으면 지방산으로 변하여 몸에 축적된다. 또 기름의 지방분은 지방산이며 여분의 지방은 중성지방이 되어 몸에 축적되어 비만의 원인이 된다(고기의 동물성 단백질에는 대부분 지방분이 포함되어 있다). 즉, 탄수화물과 지방의 과잉섭취가 비만의 원인이다. 탄수화물과 지방 중 어느 쪽이 살이 더 찌는지에 대한 것은 아직 연구중이며, 연구자 대부분이 다른 견해를 가지고 있다.

남녀차와 유전자

구체적으로 어떤 식품을 먹으면 비만이 되기 쉬운 것일까? 미국의 사우스캐롤라이나 대학의 연구 결과에 의하면 지방 섭취율이 높은 여성이 살이 찌기 쉽다는 결론을 내놓았다. 당연히 체질의 개인차에 의해서 지방을 분해하기 쉬운 사람과 그렇지 않은 사람이 있지만 여성은 지방분이 과잉섭취 되지 않도록 주의해야 할 것이다. 또 개인차에 대한 최근의 연구에서 비만과 유전자 관계가 주목을 받고 있다. 완전히 밝혀지지는 않았지만 비만에 개인차가 있다는 것은 의심할 나위 없는 사실이다.

1

탄수화물은 당분이며 남은 것은
몸에 축적된다

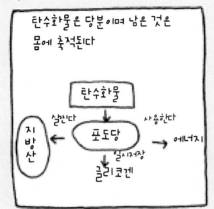

2

지방도 남는 것은 몸에 축적된다

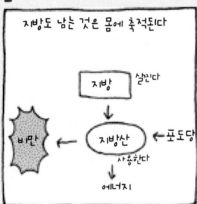

3

그럴지만 단백질은 저장되지 않는다

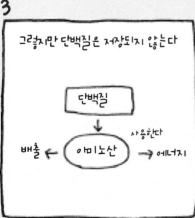

4

물만 마셔도 살찐다는 사람들이 있다

5

무엇이 살이 찌기 쉬운지
살이 찌기 쉬운 것도 개인차가 있다

6

사람은 왜 이상한 것만
유전되는 것일까…

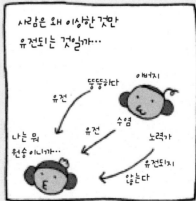

그러면 어떻게 색채심리를 활용하면 좋을까? 물론 다이어트에는 운동이 가장 좋고 과잉 섭취된 영양분은 운동으로 소모시키는 것이 좋다. 하지만 헬스장에 다니는 것도 오래 지속하기 어렵고 조깅도 쉽지 않다. 살을 빼는 데는 효과가 있지만 오래가지 않는다. 누구든 그런 경험은 있을 것이다. 거기에다 식사까지 제한하게 되면 죽을 맛이다. 운동으로 건강하게 살을 빼는 것이 바람직하지만 대부분의 사람들에게는 고통스러운 일이다. 앞이 보이지 않는 어두컴컴한 동굴을 손으로 더듬으면서 나아가는 것과 같은 것이며, 위험과 고난도 기다리고 '요요현상' 의 함정도 기다리고 있다.

그렇다면 색채심리를 활용해서 다이어트에 대한 생각을 바꾸어 보자.

중요한 것은, 먹는 양을 줄이거나 운동으로 칼로리를 소비하는 것이 아니라 먹는 것에 대한 집착을 약화시키는 것이다. 보통 다이어트 중에는 음식에 대한 욕구가 높아져 식탐으로 나타나기도 한다. 이렇게 되면 살을 빼는 것은 어려워지고 고통스러우며 요요현상의 위험도 크다. 진짜 식욕과 가짜 식욕의 차이를 분류하는 것이 중요하다. 즉, 본래 필요한 만큼의 음식을 섭취하고 가짜 식욕을 억제하려는 것이 이 색채심리 다이어트의 골자이다.

그리고 이 색채심리에서 사용하는 색은 '파랑' 이다. 파란색은 식욕을 감퇴시키는 색 중의 하나이므로 잘 사용하면 식욕을 억제할 수 있다. 또한 파란색의 진정효과는 다이어트의 초조감을 배제하는 데 가장 좋다.

1

다이어트는 남은 영양분을
소비하는 것이 좋다

2

그렇지만 헬스장은
비용이 많이 든다

3

식사제한은 지옥

4

그렇다면 다이어트의 발상을 바꾸
어 보자

고정관념

안녕~

5

식사량을 줄이는 것이 아니라 먹는
것에 집착하는 마음을 약화시키는
것이 중요하다

힐끔~

6

색채심리를 이용해서 식욕을 조절
한다

가족모두 힘내자!

파란색 테이블보와 접시를 준비하고 파란색 음식 위주로 식사를 하면 식욕이 억제된다는 것은 아니다. 파랑은 식욕을 감퇴시키는 색이긴 하지만 어떻게 사용하느냐에 따라서 식재료를 돋보이게 하는 효과도 있다. 흰 접시에 파란색 무늬는 매우 일반적인 접시이고, 사용방법이나 조합으로 요리를 맛있어 보이게 하는 효과가 있다. 단순히 파란색을 사용한다고 되는 것은 아니다.

파란색으로 긴장을 푼다

초조하거나 불안하면 공복감이나 포만감이 정확하게 전달되지 않는다. 먼저 식사 전에는 긴장을 푸는 것이 중요하다. 파랑은 마음을 진정시키는 작용을 하기 때문에 파란색을 보면서 느긋하게 마음을 안정시키면 호흡과 근육의 긴장도 완화된다. 그렇다면 어떤 파랑을 보면 좋을까? 파란색 중에서 '울트라마린'(먼셀값 : 6PB4/13, CMYK 95% 60~65% 0% 0%)과 비슷한 색조가 좋다. 맑고 진한 파랑은 매우 기품 있는 색이며 페르멜 등 많은 화가들에게 사랑을 받고 있는 색이다. 컬러칩이나 이 색에 가까운 천을 벽에 붙여 보는 것도 좋다. 더 손쉽게 울트라마린색 안경과 파란 선글라스를 활용하는 방법도 있다. 외출을 해서 파란색을 볼 기회가 없는 경우는 심호흡을 하고 상쾌한 공기를 마시고 있다고 상상하는 것도 좋다. 깊은 바다의 파랑을 상상하고 천천히 입에서 몸으로 옮겨가는 이미지를 만든다. 긴장 완화는 색의 기호와 밀접하게 연결되어 있어서 파랑을 좋아하지 않는 사람에게는 역효과가 날 수 있으므로 자기가 스스로 긴장을 늦출 수 있는 편안한 색을 활용하면 된다.

1

가짜 식욕을 간과해서는 안된다

2

그 때는 파란색을 보고 긴장을 완화
하는 것이 중요하다

3

파란색 중에서도 '울트라마린'과 같
은 색이 좋다

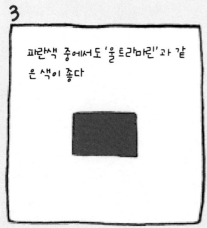

4

컬러칩을 보거나 파란색 선글라스
를 활용하는 방법도 있다

이것은 편리

5

이 색을 보고 있으면 느긋해질 수
있다는 마음이 생겨서 편안해진다

식사 전에 2~3분 정도 이것을 한다

6

기본적인 준비는 이것뿐

식사시간과 간식에 대하여

긴장을 완화시키면 가짜 식욕과 진짜 식욕의 구별이 쉬워진다. 사실은 '먹고 싶다'는 것만으로 '배가 고픈' 것은 아니다. 그 대신 진짜 식욕에 무리하게 참지 말고 배가 고프면 식사를 한다. 식사 이외의 시간에 공복감을 느낀다면 단 것을 조금 먹어서 공복감을 없앤다. 핑크색 접시를 사용해서 먹으면 더 달게 느껴져 포만감을 쉽게 얻는다. 실은 이 만족감이 매우 중요하다. 그러나 배가 고픈 것을 참았다가 한꺼번에 식사를 하게 되면 우리 몸은 공복감을 예측하여 미리 영양분을 저장하려고 하기 때문에 그렇게 해서는 안 된다. 배가 고프다는 생각이 들면 파란색을 보고 긴장을 푼 다음 여유 있게 식사를 즐긴다. 먹는 도중에 식욕을 억제하고 싶을 때에는 파란색을 본다. 그렇게 해서 배가 부르면 그만 먹고 음식을 남기는 용기를 갖도록 하자. 다 먹었다는 만족감이 필요한 것은 아니다.

식사하는 방법

물론 일반적인 다이어트와 같이 균형 잡힌 식사가 필요하다. 항상 두 공기의 밥을 먹었다면 양을 반으로 줄여서 네 번에 나누어 먹는다. 반면에 일반적인 다이어트는 처음부터 밥 양을 한 공기로 줄인다. 그러면 '더 먹고 싶다'는 갈망을 부추기게 되는 것이다. 하지만 파란색을 보고 긴장을 늦춘 후 식사를 하게 되면 가짜 식욕은 없어지고 자연스럽게 한 공기만으로 끝나게 된다. 진짜 식욕은 의외로 소식이다.

1

편안한 상태에서 느긋하게 식
사를 하면

잘 먹겠습니다

4

진짜 식욕·포만감이 생겨서
마음이 편해진다

이제 충분하다

2

무리하게 양을 줄일 필요는 없다

좋아하는 것부터 자유롭게 먹는다

5

식사 후 간식으로 적은 양의 단 것
은 OK
셀로토닌이라는 호르몬이 분비되어

냠냠

뇌가 만족하여 과식을 하기 어렵다

3

편안한 상태에서는 가짜 식욕은
저하되고

6

어디까지나 '소량' 이다

내 케이크
전부 다 먹었잖

반성

포만감에도 2종류가 있다

만족감을 느끼는 포인트는 2개이다. 그것은 포만 포인트와 한계 포인트이다. 포만 포인트라는 것은 먹어가면서 배가 찼다고 느끼는 지점이고, 한계 포인트라는 것은 포만 포인트를 넘어 계속 먹게 되면 이 이상 먹는 것은 무리라고 느끼는 지점이다. 다이어트를 하지 않아도 마른 사람은 포만 포인트로 식사를 마치고, 살이 찐 사람의 대부분은 한계 포인트에서 '이 이상 먹을 수 없다' 는 강한 만족감에 의해서 식사를 마친다. 한계까지 먹고 끝내는 습관이 생겨 버리면 포만 포인트로는 조금 부족하다고 느낀다. 어디가 포만 포인트인지 모르는 사람은 느긋하게 식사를 하고 정말로 맛있다고 생각할 수 있는 곳까지가 공복이고 그 이후는 포만 포인트를 넘은 '타성' 이라고 이해하기 바란다. 느긋하게 먹으면서 도중에 파란색을 보는 것이 바람직하다.

'먹어서는 안 된다' 라고 생각하면서 많이 먹는 행동은 매우 강한 쾌감을 가져온다. 이것은 일종의 마약이다. 머리에서 이것은 안 된다고 인지하고 있기 때문에 더 매력을 느끼게 된다. 다이어트가 필요없는 마른 사람은 '절대로 많이 먹어서는 안 된다' 라고 생각하지 않기 때문에 먹는 것에 특별히 매력을 느끼지 않으며, 자기의 공복감을 확인한 후 느긋하고 자유롭게 좋아하는 것을 먹는다. 그리고 포만감을 느끼게 되면 식사를 끝낸다.

1

먹어서는 안 된다고 생각하면서 하는 다이어트는 역효과

바나나 바나나

평정심

2

왜냐하면 '안 된다'라고 생각하면서 많이 먹어버리면

아~최고다~

매우 강한 쾌감을 낳는다

3

마른 사람 대부분은 많이 먹는 것에 매력을 느끼지 않는다

바나~

4

식사 도중에 파란 색을 보면 강한 식욕을 억제할 수 있다

진짜식욕

가짜 식욕이었다

5

무리하지 않고 정말로 원하는 양의 식사를 할 수 있다

잘 먹겠습니다

6

자연스러운 식욕을 되찾는다

별로
내키지 않아

응

이것이 색채심리 다이어트

섭취량의 기준

일반 다이어트라면 이 경우 목표 섭취량으로서 ○○○칼로리라고 표시해야 하지만 '이것밖에 먹을 수 없다'고 생각하게 되면 그것을 더 먹고 싶어 하게 된다. 이런 이유로 다이어트 이론은 무시한 채 구태여 섭취량에도 신경 쓰지 말고 공복 시에 원하는 양만큼만 먹으면 된다. 안심해도 된다. 정말이지 몸이 원하는 것은 엄청난 양이 아니다.

주방 조명과 테이블 주위

아무래도 많이 먹는다고 느낄 경우, 주방에 따뜻한 빛의 백열등을 쓰고 있는지 살펴보고 조명을 청백 형광등으로 바꿔보자(가능하다면 조명은 바꾸지 않는 것이 좋다). 형광등은 백열등에 비해 식욕을 억제하는 작용을 한다. 그런데 지금까지 설명한 것처럼 한층 더 파란 테이블보에 접시도 파랑으로 한다면 어떨까 하고 생각할 것이다. 색의 동화현상이 생기면 음식이 맛있게 보이지 않아서 다이어트에는 분명 효과적이다. 그러나 음식의 주위에 파란색을 늘어놓으면 파랑의 보색효과가 생길 가능성이 있다. 황색계열의 필터가 끼워져 음식이 보다 맛있게 보여 오히려 역효과가 난다. 면적비율과 분량으로 동화현상이 나오는지 보색효과가 나오는지는 알 수 없다. 바로 이것이 색을 이해하는 데 매우 어려운 부분이기도 하다. 그러나 식사는 맛있게 하는 것이 좋다. 너무 파랑에 집착하지 말고 테이블 주위는 자연스럽게 하는 것이 좋다. 식사 전과 식사 중에 따로 파란색을 보기를 권한다.

1

파랑이 다이어트에 효과적이라고 해서

2

무엇이든 파랑으로 하는 것은
위험하다

3

예를 들면 접시의 파랑은
보색효과로 식품을 두드러지게 한다

4

전체의 양과 식품과의 거리, 식품
의 색 등으로 달라진다

동화?   보색?

파란색 아이템은 좋지도 나쁘지도 않다

5

파랑은 어디까지나 긴장을 늦추고
폭식을 억제하는 데 사용하는 것이
좋다

6

테이블은 심플하게 정리하기 바란다

의미가 달라~   네 앞은 심플하네

침실

파랑에 의한 긴장완화 효과와 식욕 억제효과를 설명했는데 파랑은 수면으로 이끄는 색이기도 하다. 깊은 잠을 자지 못하는 사람은 침실의 커튼과 침대커버를 파랑으로 해 보면 좋을 것이다. 파랑은 신경을 쉬게 하여 수면으로 이끌어 주며 쾌적한 수면은 대사효과도 좋게 한다. 대사가 좋아지면 다이어트가 효과적으로 이루어진다. 몸이 냉한 체질은 시트와 이불, 커버 모두를 파랑으로 하면 차갑게 느껴져서 잠을 잘 수 없게 된다. 그런 때는 잠옷을 따뜻하고 부드러운 핑크나 오렌지 등의 난색계로 하면 좋다. 조명도 형광등이 아니라 백열등이 좋다.

화장실

변비는 다이어트 최대의 적이다. 변비가 있는 사람은 화장실 인테리어를 빨강이나 오렌지, 노랑 등의 난색계로 하든지, 난색계의 소품을 놓으면 좋다. 난색은 위장의 활동을 활발하게 해주기 때문에 변비가 있는 사람에게는 효과적이다. 특히 노란색은 위장을 적당하게 자극해 주기 때문에 변비에 효과가 있다. 그러나 너무 과하면 사람에 따라서는 설사를 유발할 수도 있다는 설이 있으므로 주의가 필요하다.

현관

사소한 것이지만 혼자 생활하는 사람에게는 현관에 구두가 흩어져 있는 것은 좋지 않다. 돌아오자마자 지저분해서 짜증이 나면 다이어트에 간접적으로 영향을 주기 때문이다. 좋아하는 색의 그림 등으로 현관에 꾸미고 긴장을 푸는 것도 중요하다.

1

식사 이외에 주의할 것이 있다

4

화장실 색채도 중요하다

노란색은 변비에 효과가 있다

2

침실을 청색계로 정리하는 것도
효과적

5

현관과 방은 깨끗하게 해 두어야
한다

3

긴장완화효과가 좋아져 쾌적한
수면으로 이끈다

수면은 다이어트에도 좋요

6

짜증은 다이어트에 나쁘다

윤아

윤아가 누구야

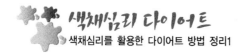

색채심리 다이어트
색채심리를 활용한 다이어트 방법 정리1

색채심리를 활용한 다이어트는 식욕감퇴색이며 긴장완화 효과가 있는 파랑을 사용하여, 자연스럽게 본능인 진짜 식욕을 알고 가짜 식욕을 배제하는 것에 있다. 물론 운동요법과 병행해도 좋지만 소비 칼로리를 너무 의식하면 식사에 대한 집착이 생기기 때문에 가볍게 하기 바란다. 운동에 의한 체질개선 다이어트는 하드웨어적인 다이어트이며, 심리효과는 소프트웨어적인 다이어트이다. 본능인 식욕을 따른다면 먹는 것에 대한 집착이 완화되어 자연스럽게 먹는 양도 줄어든다.

색채 다이어트의 포인트

1. 진짜와 가짜 식욕을 구별하여 진짜 식욕대로 식사를 한다(가짜 만족감에 휘둘리지 않는다).

2. 파란색의 긴장완화 효과에 의해서 뇌의 흥분을 진정시키고 가짜 식욕을 억제한다. 파랑(울트라마린)은 식욕을 억제하는 작용을 가진 호르몬 분비를 촉진한다고도 말한다.

3. 준비와 수고를 하지 않고 가볍게 다이어트를 할 수 있다.
   다이어트를 하는 것이 스트레스가 되지 않는다.

4. 정신적으로 만족하지 않아도 만족감이 있는 식사를 할 수 있다.

1

과식하면 스트레스가 된다
현대병의 일종이다

과장용~

2

색채심리 다이어트는 가짜 식욕을
배제하고

가짜

하하하~

3

색의 심리 효과로 몸의 균형을 맞춘다

숙면

비어 있는 속

긴장완화

4

식사량을 의식하지 않고 진짜
식욕에 따라서 자연스럽게 식
사를 한다

루루루~

5

과하지 않은 선에서 좋아하는 것을
먹으면 된다

브루고뉴식
달팽이 요리

식사에 집착을 갖지 않는다

6

즉 다이어트의 사고를 바꾸는
다이어트

파란색을 식사 전과 식사 도중에 보는 것이 중요하지만 파란색 선글라스를 끼고 직접 보면 더욱 효과를 보기 쉽다. 보색효과가 생기지 않게 하기 위해 편안한 상태에서 자기의 진짜 식욕을 알고 느긋하게 먹게 되면 포만감의 신호를 정확히 알게 된다. 현대인은 식사하는데 많은 시간을 들이지 않으면서 맛있는 것을 먹고 싶어 하는 욕망이 강하다. 그러니 살찌는 것은 당연하다. 다이어트가 힘들다고 생각하지 말고 마음 편하게 해 보는 것도 좋다. 다이어트에는 개인차가 있고 효과 역시 차이가 있다. 이 방법으로 '1개월에 10kg 감량' 등과 같은 획기적인 효과는 기대할 수 없겠지만 서서히 조금씩 살이 빠질 것이다. 자기의 몸은 본능적으로 자연스러운 체중을 유지하려고 한다. 살이 빠지는 속도도 자기의 본능에 맡겨야 하지만 1주일에 0.5kg 정도가 가장 몸에 좋다.

실제로 업무 스트레스로 8kg이나 살이 찐 남자가 식사 전에 파란색 안경을 끼는 것만으로 2개월만에 체중을 5kg 감량한 예가 있다. 또 다른 남자는 밥을 빨리 먹던 습관을 고쳐 80kg이었던 체중이 4개월 만에 5kg이나 빠졌다고 한다. 효과가 약하다고 생각할지 모르지만 그것이 인간 본래의 식욕으로 되돌리는 다이어트이다. 금욕적인 다이어트는 금욕적이 될 수 있는 사람밖에 할 수 없다. 무리하게 하지 말고 자연스럽게 도전하기 바란다.

1

이 다이어트로
1개월에 10kg이 빠진다!

이런 효과는 없다

2

그러나 진짜 식욕을 따라서 식사를
계속하면

3공기 → 2공기

자연스럽게 본래의 체중이 된다

3

파란색 안경을 쓰는 것만으로도 2개
월에 5kg을 감량한 예가 있다

80kg   75kg

4

금욕적인 다이어트는 누구나 할
수 있는 것은 아니다

5

무리하지 말고 자연스럽게 색채심리
다이어트에 도전하기 바란다

6

짜증 스러움도 줄고 일상생활이
즐거워진다

토막상식 │ **수수께끼의 호르몬 '레프틴'**

1994년 실험쥐에서 발견된 '레프틴' 이라는 호르몬이 있다. 지방조직에 의해서 만들어지고 식욕과 대사를 조절한다. 레프틴이 늘어나면 포만중추가 자극되어 식욕이 떨어진다. 지방축적을 억제하고 지방을 연소시키는 기능을 한다. 그리고 이 레프틴 작용에 장애가 생기면 비만이 될지도 모른다고 는 하지만 아직까지는 자세하게 알려져 있지 않다. 한 가지 특이한 사실은 다이어트의 특효약이 될지도 모른다는 큰 기대를 불러일으키고 있다는 점이다.

4장

배색의 기본과 이미지

여러 색을 배합한 '배색' 에 대해서 바람직한 배합과 이미지, 마음에 미치는 영향 등을
설명한다. 또 배색의 기본적인 규칙과 전통적인 배색에 대해 소개하고 있으므로
배색에 대한 지식의 깊이와 넓이를 더해 줄 것이다.

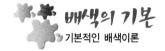

지금까지는 단색에 의한 색채심리만 설명해 왔다. 그러나 일반적으로 단색만으로 사용되는 예는 드물고 대부분은 여러 색이 섞여서 사용되고 있다. 간판이나 마크 등도 여러 가지 색을 사용하고 있고 패션에도 단색은 거의 없다. 단색만으로 복잡한 효과를 구사하여 여러 색처럼 보일 수는 있다. 이것이 색을 어렵게 만드는 원인의 하나이다. 아직까지 복수의 색이 어떤 심리효과를 내는지는 색채심리 분야에서도 그리 잘 설명되어 있지 않지만 여러 색의 배합이 어떤 이미지를 만드는지는 비교적 쉽게 알 수 있다. 기분 좋은 색의 배합은 이론적으로 구축되어 있기 때문이다. 여기에서는 2색 이상의 색을 배합한 '배색'에 대한 기본적인 규칙과 이미지, 그리고 배색 예에 대해 설명한다.

배색의 기본

먼저 배색의 기본은 색을 구성하고 있는 요소인 색상, 명도, 채도의 배합이다. 배색이론은 대부분 색채학자와 연구기관이 정리하고 있지만 여기에서는 공통된 기본적인 생각을 알기 쉽게 해석한다.

· 색상배색 : 비슷한 색상이나 전혀 다른 색상을 배합하는 색상변화의 배색
· 명도배색 : 명도가 가까운 것이나 차이가 큰 것을 배합하는 배색
· 채도배색 : 채도가 가까운 것이나 차이가 큰 것을 배합하는 배색

1

여러 색을 배합해서 만드는 배색도

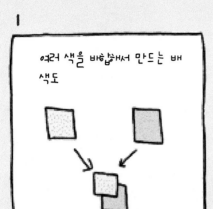

2

안정감을 느끼는 규칙이 있다

누구?

내가 규칙이다

3

포스터나 웹사이트도 그 규칙에 의해서 만들어지고 있는 것이 많다

jungil

coobug.net

4

패션이나 메이크업도 그러하다

5

예를 들면 동일색상으로 배합하여 사용하면 기분이 좋다

학설이겠죠

진한 것을 아래에 사용하는 것이 정설이다

6

옷에대한 이야기였다구!

해 봤습니다

배색의 기본
3개의 기본적인 배색

색상배색

색상차에 의해서 만들어진 배색으로 유사색상을 배합시키거나 반대 색상을 배합해서 배색을 만든다.

- 동일색상배색 : 동일색상으로 명도 · 채도차가 있는 배색
- 유사색상배색 : 색상환의 인접한 색상을 배합한 유사한 배색
- 보색색상배색 : 색상환 반대의 색상을 배합시킨 강한 배색

명도배색

명도차에 의해서 만들어진 배색으로 명도를 일치시키거나 명도의 차가 있는 색을 배합시켜 색을 만든다.

- 동일명도배색 : 동일명도로 색상차가 있는 배색
- 인접명도배색 : 명도차가 적은 색을 배합한 익숙한 배색
- 대조명도배색 : 명도차가 큰 색을 배합한 강한 배색

채도배색

채도차에 의해서 만들어진 배색으로 채도를 일치시키거나 채도차가 있는 색을 배합하여 배색을 만든다.

- 동일채도배색 : 동일채도로 색상차가 있는 배색
- 인접채도배색 : 채도차가 적은 색을 배합한 익숙한 배색
- 대조채도배색 : 명도차가 큰 색을 배합한 강한 배색

기본배색

색상배색

· 동일색상배색

· 인접색상배색

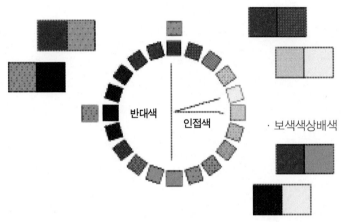

반대색

인접색

· 보색색상배색

명도배색

· 동일명도배색

명도는 같다

· 인접명도배색

· 대조명도배색

채도배색

· 동일채도배색

· 인접채도배색

· 대조채도배색

배색의 기본
도미넌트 컬러 배색 / 도미넌트 톤 배색

톤을 지정하지는 않겠지만 배합의 이미지와 배색의 기본구성을 알아두면 편리할 것이다.

도미넌트 컬러 배색

도미넌트(dominant)라는 것은 '지배적인', '우월한' 이라는 의미로 색을 배합할 때 공통의 무언가로 통일하는 것을 가리킨다. 이는 전체적으로 통일감을 내는 배색으로 배색의 기본이라 할 수 있다. 도미넌트 컬러 배색이란 기본적으로 색상을 통일한(동일 색상으로 지배되는) 것으로 마치 특정한 색 필터를 끼워서 보고 있는 듯한 배색이며 지배적인 도미넌트 컬러가 존재한다. 예를 들면, 물 속에서 보는 경치는 전체적으로 푸른 필터를 끼운 듯이 보이기 때문에 이 경우 도미넌트 컬러는 파랑이 되는 것이다.

도미넌트 톤 배색

도미넌트 컬러 배색은 어떤 특정한 색이 배색을 통일한 것인 데 비해 도미넌트 톤 배색은 일정한 톤이 배색을 통일하고 있는 배색이다. 특히, 색에 제한은 없으며 동일 톤을 나열한 것이라 이해하면 된다. 색은 바뀌어도 동일 톤을 나열하면 어떤 공통의 이미지를 얻을 수 있는 성질을 이용한 배색이다. 특히 펄 톤, 라이트 톤과 같이 연하고 옅은 색과 딥 톤, 다크 톤과 같이 진한 색조는, 색상을 바꾸어도 부드러운 공통의 이미지를 만들기 때문에 패션 등의 분야에서 상당히 자주 활용되고 있다.

도미넌트 컬러 배색

동일 색상으로 지배되는 배색

· 동일 색상(주황)으로 통일한 예

· 동일 색상(빨강)으로 통일한 예

· 동일 계열 색상(청색 계열)으로 통일한 예

도미넌트 톤 배색

공통의 톤으로 전체를 통일한 배색

· 선명한 톤으로 통일한 예

· 연하고 옅은 톤(펄 톤)으로 통일한 예

· 그레이시(grayish)한 톤으로 통일한 예

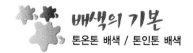

톤온톤 배색

톤온톤 배색은 톤(색조) 차이를 반복한 배색이다. 동일 색상(동일 계열의 색상)을 사용하여 톤으로 명도 차이를 둔 배색으로서 빨강에 핑크, 곤색에 옅은 남색 등을 배색한 것으로 패션과 그래픽의 분야에서도 기본이 된다. 낙엽, 나무의 빛과 그림자 등 자연 속에서도 흔히 볼 수 있는 배색으로 자연의 조화로움을 나타낼 수 있다. 색으로 통일감을 나타내기 때문에 도미넌트 컬러 배색의 일종으로도 판단할 수 있다.

톤인톤 배색

톤이 갖추어져 있고 색상에 차이가 있는 배색이다. 톤온톤 배색이 색상을 고정시킨 톤으로 변화를 준 것에 비해 톤인톤은 톤을 고정시킨 색상의 차이로 전개한다. 원래는 가까운 색상의 배합을 그렇게 불렀으나 지금은 자유로운 색채를 선택해도 톤인톤 배색이라 부르기도 한다. 색채연구단체에 따라 정의가 조금씩 다르기는 하지만 아주 세밀한 규정에 얽매이지는 않는다.

토널 배색

톤인톤 배색 중에서도 둘 톤(dull tone : 'Dull' 은 '둔하다' 는 의미로 밝은 색에 검정을 약간 가미한 색. 부드럽고 자연스런 톤으로 다소 복잡한 표정을 가짐)과 그레이시 등 탁색 계열 톤을 배합한 배색을 토널 배색(tonal : '톤을 갖추었다' 라는 의미로 통일감 있는 배색. 명도, 채도 모두 중간 정도이므로 전체적으로 조심스럽고 점잖으며 침착한 인상을 줌)이라 부르고 구별하여 사용하고 있다. 색조에서 전체적으로 수수하고 소박한 배색을 만든다.

톤온톤 배색

동일 색상(동일 계열의 색상)에서 톤 차이의 배색

빨강 배색 예

베이지 배색 예

초록 계열(동일 계열 색상)의 배색 예

톤인톤 배색

동일 톤의 색상차 배색

다크 톤 배색 예

라이트 톤 배색 예

펄 톤 배색 예
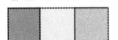

※ 고채도 톤은 동일 톤에서도 명도차
가 강조되어 버리기 때문에 이 배
색에서는 그다지 사용되지 않는다.

토널 배색

둘 톤을 중심으로 한 톤인톤 배색

※ 주의 : 미세한 색에 너무 구속될 필요는 없다(색은 점으로 파악할 수 없다).

색채조화란 색채를 배합하여 기분 좋은 조화를 이루는 것으로 배색의 원리, 이론을 탐구하는 것이다. 색 배합에 대해 감각이 아닌 이론적으로 설명할 수 있는 원칙을 찾고자 한 것이다. 오래 전 레오나르도 다빈치 등이 색채조화에 대해 언급한 바 있다. 여기서는 여러 연구자가 연구한 조화론의 일부를 소개하고자 한다.

괴테의 조화론(1749~1832 / 독일 시인)

시인인 괴테는 감정의 효과로 배색을 들었다. 어떤 색에 대해 심리적으로 원하는 색이 조화를 낳는다고 생각했다.

슈브룰(M. E. Chevreul)의 조화론(1786~1889 / 프랑스 화학자)

직물의 씨줄과 날줄이 겹치는 부분의 색채 변화에 주목해서 색 조화를 6가지로 분류하고 색과 맞는 조화를 고안했다. 인상파와 신인상파 화가에게 큰 영향을 주었다.

문&스펜서(P. Moon & D. E. Spencer)의 조화론(미국의 부부 색채학자)

먼셀 값에서 색의 명도차와 채도차 등을 산출하여 조화를 수치화해 평가하려고 했다. 배색 카드를 사용한 평가를 모아서 그 결과를 분석·정리했다.

주드(D. S. Judd)의 조화론(1900~1972 / 미국의 색채학자)

연구자들이 앞서 발표한 색채론을 모아 정리, 분류하고 '질서의 원리', '통일성의 원리', '숙지의 원리', '친근의 원리' 등 4가지로 집약했다.

그 외에도 색채체계를 고안한 학자에 의한 '먼셀의 조화론'과 '오스트발트의 조화론' 등이 있다.

1

괴테는 감정효과로서의 배색론을 논함

우쑤~

노랑과 초록의
조합은 저속해!

2

프랑스 염색가 슈브롤은 색의 농담(톤)
개념을 도입하였다

실이 교차하는
곳은 진하군~

3

조화를 수치화한 문&스펜서

그거 좋은데
M=O÷C 그래서 0.5인거지

4

선행 연구자들의 생각을 정리한 주드

끔적 끔적

5

하지만 조화론에 반하는 색 조합이
멋진 것도…

6

코디네이터를
향하여!

근데 어떻게 하면
되지…

툭

색의 배합과 명칭이 정해져 정형화한 배색이 다수 있다. 예를 들면, 유명한 배색 중에 '카사네 이로메(옷을 겹쳐 입을 때 옷과 옷의 배색의 색조)' 라는 것이 있다. 이것은 헤이안 시대 궁정의 사람들이 자연의 빛깔을 겹쳐서 만든 배색이다. 헤이안 시대 말기에는 5장이 원칙이었고 특별한 경우는 12장의 색을 겹쳤다. 이것이 잘 알려진 '쥬니 히토에(쥬니는 12, 히토에는 홑겹옷)'이다. 이 시대 귀족과 왕족은 온갖 사치를 추구하여 의복도 겹쳐 입는 것이 하나의 신분표시였다. 또한 교토의 풍토상, 겨울이 추웠던 것도 옷을 겹쳐 입은 한 이유라고 생각된다.

또한, 카사네 이로메는 양면 재단된 의복의 앞면과 뒷면 배색을 가리키기도 한다. 최근은 편의적으로 이러한 색상을 '겹침 색상'이라고 표기하기도 한다. 겹침 색상은 한 해 내내 쓸 수 있는 것도 있지만 계절에 상응하는 배색으로 구분되는 것이 특징이다. 자연의 풍경을 차용한 듯한 색조합으로 계절감을 표현한다. 이 아름다운 색채 배색문화는 디자인을 공부하고 있는 사람뿐 아니라 색에 관심이 있는 사람은 꼭 알아두어야 할 문화이다.

카사네 이로메 (보기)　　　　　　　※문헌에 따라 약간 겹침 방법이 다르다

· **무라사키무라고**
축하할 일이 있을 때 입는 겹침 옷. 11월경부터 봄까지 입는다.

· **츠쯔지**(철쭉)
4월경에 입는 겹침 옷. 철쭉이 피는 계절에 입었을 것으로 생각된다.

겹침색상

• 봄

사쿠라 가사네

코바이노 니오이(홍매 향기)

모에기(노란 기를 약간 띤 초록)

• 여름

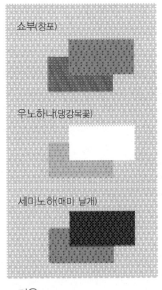

쇼부(창포)

우노하나(냉강목꽃)

세미노하(매미 날개)

• 가을

모미지(단풍)

쿠가쯔 기꾸(가을 국화)

키쿄(도라지)

• 겨울

유키노 시타(눈 아래)

카레노(마른 들판)

코리 가사네(코리는 얼음)

흰색 배색
흰색이 만드는 배색 이미지와 심리효과

여기에서는 단색 색채 이미지가 배색이 되어 어떤 이미지로 바뀌는지를 설명하고자 한다.

흰색의 단색 이미지

순수 · 순진무구 · 청결 · 진실 · 경계심 · 실패 · 고독 · 차가움 · 눈

흰색의 심리효과

· 빛의 반사율이 가장 높다.

· 가장 가볍게 느껴진다.

· 몸에 가까이 하면 내분비를 활성화시켜 피부가 아름답게 된다.

· 양복에서는 상대에게 차가운 인상을 주는 경우가 있다.

흰색의 배색 이미지

무채색인 흰색은 어떤 색과도 맞출 수 있는 만능색이다. 무채색과의 배색은 샤프하게, 차가운 색 계열과 맞추면 깔끔해진다.

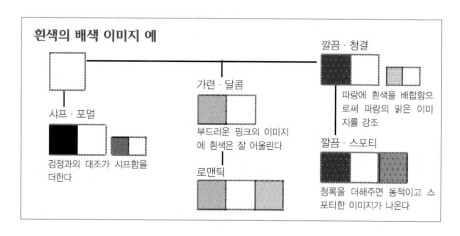

흰색의 배색 이미지 예

깔끔 · 청결

파랑에 흰색을 배합함으로써 파랑의 맑은 이미지를 강조

가련 · 달콤

부드러운 핑크의 이미지에 흰색은 잘 어울린다

로맨틱

샤프 · 포멀

검정과의 대조가 샤프함을 더한다

깔끔 · 스포티

청록을 더해주면 동적이고 스포티한 이미지가 나온다

1

흰색은 단색만으로는

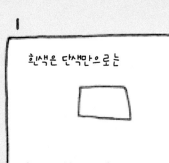

순진무구하고 깨끗한 이미지와
차가운 이미지가 있다

2

검정과 조합하면 샤프한 이미지가
돋보인다

3

핑크와 맞추면 부드러운 이미지가
강하다

4

연한 황록을 더하면
활동적이며 달콤하고
로맨틱한 이미지로

네가 산인지
산이 너인지

와하하하   와하하하

5

밝은 파랑과 맞추면 깔끔하고
깨끗한 이미지가 된다

쿨~

6

하지만 욕조에서 자면 흰색 단색
으로 되돌아가 버릴지도···

엥?

검정의 단색 이미지

딱딱하다 · 무겁다 · 죽음 · 불길 · 강하다 · 정숙 · 샤프

검정의 심리효과

· 빛을 흡수하는 성질이 있다.

· 가장 무겁게 느껴진다.

· 상대를 움직이는 힘을 준다.

· 외부에서의 자극과 스트레스로부터 자신을 지켜준다.

검정의 배색 이미지

검정을 빨강, 주황과 배합하면 그 채도 대비로 격렬한 이미지와 비대한 이미지를 만든다. 면적 비율에 의해서는 가장 세련된 배색도 가능하다. 채도차, 명도차가 적은 배색은 고전적이고 이지적인 분위기를 만들어 낸다.

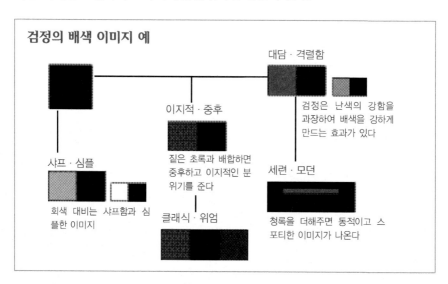

검정의 배색 이미지 예

대담 · 격렬함

검정은 난색의 강함을 과장하여 배색을 강하게 만드는 효과가 있다

이지적 · 중후

짙은 초록과 배합하면 중후하고 이지적인 분위기를 준다

샤프 · 심플

회색 대비는 샤프함과 심플한 이미지

클래식 · 위엄

세련 · 모던

청록을 더해주면 동적이고 스포티한 이미지가 나온다

1

검정은 단색에서는

무겁고 어두운 이미지와 강하고
샤프한 이미지가 있다

2

검정은 회색과 맞추면 샤프하고 모
던한 느낌이 난다

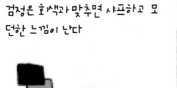

3

짙은 초록과 맞추면 깊이 있고 무
거운 이미지에서 이지적이 된다

IQ300 원숭이다
대단한걸~

4

그리고 빨강과의 배합은 빨강의
강함을 돋보이게 한다

다이내믹~

5

빨강 배색을 억제하면 세련돼 보인다

자
파티 시간이다~

6

핑크가 더해지면 위험

파티는 즐거워   음냐 음냐

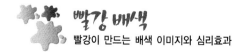

빨강 배색
빨강이 만드는 배색 이미지와 심리효과

빨강의 단색 이미지

열정 · 검정 · 건강 · 공격적 · 불 · 피

빨강의 심리효과

· 심장 박동수를 높인다. 혈압을 상승시킨다.

· 시간경과를 길게 느끼게 한다.

· 크게 보이고 돌출되어 보인다.

· 기분을 상승시켜 주고 건강과 힘을 준다.

빨강의 배색 이미지

단색에서도 에너지가 충만된 빨강은 다른 색과의 배합을 통해 여러 가지 얼굴을 가진다. 검정과 배합하면 힘차고, 핑크와 배합하면 여성적인 부드러운 느낌이 강조된다. 노랑과는 즐거운 분위기를 만든다. 완구 등에서 자주 볼 수 있는 색이다.

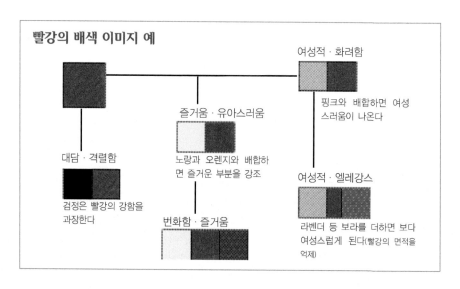

빨강의 배색 이미지 예

여성적 · 화려함

핑크와 배합하면 여성스러움이 나온다

즐거움 · 유아스러움

노랑과 오렌지와 배합하면 즐거운 부분을 강조

대담 · 격렬함

검정은 빨강의 강함을 과장한다

여성적 · 엘레강스

라벤더 등 보라를 더하면 보다 여성스럽게 된다(빨강의 면적을 억제)

번화함 · 즐거움

1
빨강은 단색에서는

열정과 건강, 불 등의 이미지가 있다

2
노랑을 맞추면 밝고 즐거운 이미지가 되고

3
핑크를 맞추면 여성스럽게 된다

4
게다가 보라 등을 더하면 우아하게…

라라라~

5
흰색과 샐먼 핑크를 더하면 화려한 이미지가 된다

6
하지만 빨강과 검정은 역시 격렬하다…

엥?

샐먼 핑크(salmon pink) : 연어살과 같은 빨간색, 주황색을 띤 핑크

노랑 배색
노랑이 만드는 배색 이미지와 심리효과

노랑의 단색 이미지

화려 · 유아스러움 · 건강 · 희망 · 유쾌 · 주의 · 불안

노랑의 심리효과

· 사람의 주의를 환기시키는 색(검정과 조합하면 강해짐)이다.

· 사람(특히 어린이)이 애정을 바랄 때 원하는 색이다.

· 소화기의 기능을 활성화시킨다. 위염과 변비 등에 개선효과가 있다.

· 어려운 문제를 해결하고 싶을 때 그것을 돌파하는 추진력이 된다.

노랑의 배색 이미지

유채색에서 가장 밝은 노랑은 밝음과 즐거움의 상징이다. 밝은 색과 배합하면 건강하고 즐거운 이미지가 된다. 한편, 검정과 배합하면 강한 대비가 되어 강렬한 이미지를 만들며 위험을 알리는 역할을 하기도 한다.

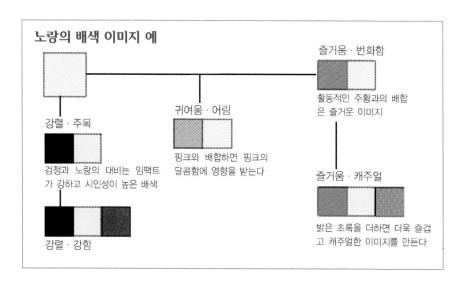

노랑의 배색 이미지 예

즐거움 · 번화함

강렬 · 주목

귀여움 · 어림

활동적인 주황과의 배합은 즐거운 이미지

검정과 노랑의 대비는 임팩트가 강하고 시인성이 높은 배색

핑크와 배합하면 핑크의 달콤함에 영향을 받는다

즐거움 · 캐주얼

강렬 · 강함

밝은 초록을 더하면 더욱 즐겁고 캐주얼한 이미지를 만든다

1

노랑은 단색에서는

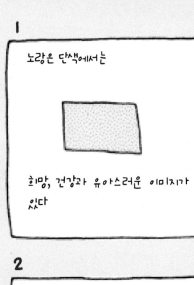

희망, 건강과 유아스러운 이미지가
있다

2

검정과 배합하면 강한 대비 효과로
표지에 이용된다

3

오렌지와 맞추면 즐거운 이미지

4

여러 색이 더 더해지면 캐주얼한
이미지로

5

핑크와 맞추면 노랑은 귀여운 듯한
인상으로
원래의 유아스러움이 더해진다

6

어른은 과도하게 사용하지 않도록…

거기서
아기처럼 있어!

예

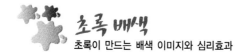

초록 배색
초록이 만드는 배색 이미지와 심리효과

초록의 단색 이미지

평화 · 자연 · 안전 · 협조 · 평등 · 휴식 · 성장 · 숲

초록의 심리효과

· 신경안정효과가 있고 긴장완화작용을 한다.

· 두통을 줄여주고 눈을 편안하게 해주는 색이다. 사람이 자연스럽게 원하는 색
  이다(단, 구토와 관계가 있으므로 사용법이 어렵다).

· 사람의 감정을 부드럽고 조화롭게 한다.

초록의 배색 이미지

부드러운 단색인 초록은 자연의 숲을 연상시키며 평화, 치유, 휴식 등의 이미지를
그려낸다. 흰색, 노랑 등과의 배합은 젊고 생동감 있는 이미지를 만든다.

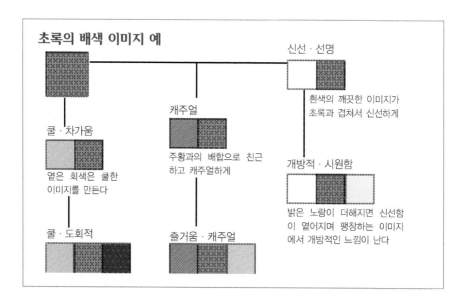

초록의 배색 이미지 예

신선 · 선명
흰색의 깨끗한 이미지가
초록과 겹쳐서 신선하게

쿨 · 차가움
옅은 회색은 쿨한
이미지를 만든다

캐주얼
주황과의 배합으로 친근
하고 캐주얼하게

개방적 · 시원함
밝은 노랑이 더해지면 신선함
이 옅어지며 팽창하는 이미지
에서 개방적인 느낌이 난다

쿨 · 도회적

즐거움 · 캐주얼

1

초록은 단색에서는

평화와 안전 그리고 협조적인 이미지

2

회색과 맞추면 쿨한 이미지

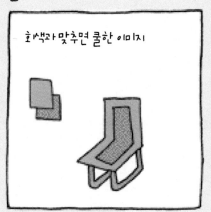

3

흰색과 맞추면 초록의 신선함이
강조된다

4

초록의 농담으로 전개해도
신선함이 나온다

확실히 신선하긴
한데…

5

초록 톤을 억제하고 어두운 갈색과
맞추면…

6

미행에 알맞다

틀림없이 여자
있는 곳에 갈거야

룰루~

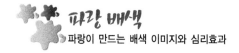

파랑 배색

파랑이 만드는 배색 이미지와 심리효과

파랑의 단색 이미지

기품 · 청결 · 이성 · 지성 · 신뢰 · 성의 · 차가움 · 물

파랑의 심리효과

· 정신을 안정시키고 차분하게 만든다. 혈압을 내린다.

· 집중력이 생기게 한다.

· 수면유도 효과가 있다.

· 식욕을 억제한다.

파랑의 배색 이미지

파랑은 단색으로는 상쾌하고 시원한 이미지를 갖고 있다. 물색 등 밝은 색을 더하면 더욱 상쾌하고 시원한 이미지로, 흰색을 배합하면 젊고, 회색을 더하면 도회적이 된다. 빨강을 더하면 역동감이 생겨서 스포티한 이미지로 바뀐다.

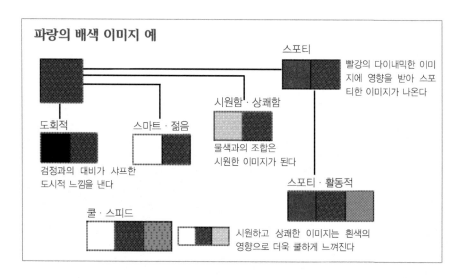

파랑의 배색 이미지 예

스포티
빨강의 다이내믹한 이미지에 영향을 받아 스포티한 이미지가 나온다

시원함 · 상쾌함
물색과의 조합은 시원한 이미지가 된다

도회적
검정과의 대비가 샤프한 도시적 느낌을 낸다

스마트 · 젊음

스포티 · 활동적

쿨 · 스피드
시원하고 상쾌한 이미지는 흰색의 영향으로 더욱 쿨하게 느껴진다

1

파랑은 단색으로는

이성과 신뢰를 연상시키는 색

4

빨강과 맞추면 스포티한 이미지로

2

물색과의 배색은 시원함과 상쾌한 이미지

5

오렌지와 노랑을 더해도 활동적이 되고 파워풀한 효과를…

3

기분 좋게 잘 수 있도록 유도하는 배색이기도 하다

6

기대할 수 없었다…

미래가 요구하는 배색
유니버설 디자인

앞으로의 시대는 단순히 기분 좋은 배색을 요구하는 것만이 아니라 '유니버설 디자인'의 관점에서 조화가 요구된다. 유니버설 디자인이란 연령과 성별, 신체적인 능력 등 차이를 불문하고 쓰기 쉽게 이용할 수 있는 제품, 공간, 표지 등의 디자인을 말한다. '배리어 프리'(장애물이 없는 생활환경)가 고령자와 장애자에 대한 장애(barrier)를 제거하는 것을 염두에 두고 있는 것에 반해 유니버설 디자인은 고령자 · 장애자뿐만 아니라 외국인과 아이들 등 모든 사람을 배려한 디자인을 의미한다.

특히, 표지는 컬러링이 대단히 중요하다. 예를 들면, 백내장이 있는 사람은 남자 화장실의 파란 마크 등이 회색으로 되어 있을 때 보이지 않는 경우가 있다. 또한, 사람들 중에는 초록에 반응하는 원뿔세포(척추동물에서 빛을 받아들이고 색을 구별하는 시세포)와 빨강에 반응하는 원뿔세포에 장애가 있어 초록과 빨강을 잘 구별하지 못하는 사람이 많다. 또한 초록과 오렌지색, 빨강과 갈색의 구별이 힘든 사람도 많다. 그 수는 남성이 20명에 1명, 여성이 300명에 1명이라고 한다. 표지는 단색으로 사용할 경우는 색만이 아니라 숫자와 문자를 조합하여 표기할 필요가 있다. 초록, 빨강, 갈색 등을 배합하여 사용할 때는 색이 동화되지 않도록 주의하여 색과 색 사이에 흰색을 넣는 등의 연구가 요구된다.

색이 잘 보이지 않는 사람이 특별한 것은 아니다. 색채감각이 풍부한 사람이 뛰어나거나 더 특별한 것도 아니다. 색채를 다루는 사람은 자기 위주로 생각할 것이 아니라 사람마다 색을 보는 방법이 다르다는 점을 이해하는 것이 중요하다.

1

앞으로는 모든 사람을 배려한 디자인이 요구된다

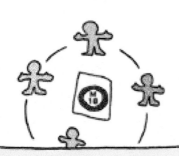

2

예를 들면, 남자 가운데는 초록과 빨강을 구별하기 힘든 사람이 많다

3

초록과 오렌지, 빨강과 갈색을 구별하기 힘들다

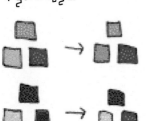

4

그래서 색뿐만 아니라 숫자와 조합하는 것도 큰일이다

5

다당신은…

후후후

6

유니버설 철수입니다

「…」

짜잔

🌱 토막상식 | **동물들의 원색**

인간의 눈은 청, 녹, 적(S, M, L원뿔세포)의 시세포를 가지고 이 3색을 기본으로 색을 만든다. 그러나 포유류의 대부분은 녹, 청 2색밖에 가지고 있지 않다. 한편, 조류와 어류는 청, 녹, 적에 보라를 더해 4색을 기본 색으로 보고 있다. 조류는 인간의 가시광선 밖에 있는 자외선 영역을 볼 수 있는데 조류의 대부분은 암컷과 수컷에서 자외선 반사율이 다르다. 조류는 인간에게는 보이지 않는 영역의 색채에서 암컷과 수컷의 차이를 식별한다고 생각한다. 또한, 어류와 색각(색을 식별하는 감각)의 관계는 가까운 곳에서 연구되고 있다. 낚싯대 등 물고기를 포획하는 도구는 어류의 색각을 고려해서 만들어지고 있다. 문득 조류와 어류가 무지개를 보면 어느 정도 아름답게 보이는지 물어보고 싶어진다.

5장
여러 상황에서 활용할
수 있는 색채심리

색채조정은 색의 성질과 심리효과를 활용하여 생활에 적용하려고 하는 생각이다.

이 장에서는 여러 상황에서 쓸 수 있는 색채심리 기술을 소개하고자 한다.

가정이나 직장에서의 색채심리를 활용한 풍부한 생활은 바로 여기에 있다.

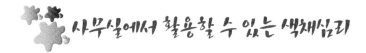

사무실에서 활용할 수 있는 색채심리

양복은 편리한 커뮤니케이션 도구

당신은 출근 전에 어떤 기준으로 옷을 결정하는가? 양복에 적당히 맞춰 셔츠를 고르지는 않는지? 양복이 상대에게 주는 인상은 크다. 사람은 표정이나 말하는 방식과 함께 양복의 컬러에서 상대의 이미지를 강하게 전달 받는다. 옷의 색상을 선택할 때는 누구와 만날지, 무엇을 할지에 따라 결정해야 한다.

예를 들면, 거래처와 차분하게 얘기할 필요가 있을 때는 노란 옷과 셔츠가 좋다. 노랑은 커뮤니케이션을 촉진시키는 색이고 사물을 적극적으로 생각하게 하는 효과가 있다. 또한, 평화스럽고 조화를 이루고 싶다면 녹색 계열의 셔츠가 좋다. 단, 동양인의 대다수는 녹색 셔츠를 입으면 안색이 나빠 보이기 때문에 사람에 따라 주의가 필요하다. 그리고 상대에게 부드러운 인상을 주고 싶다면 핑크색 셔츠가 좋다. 하지만 피부색이 검은 남성이 핑크색 옷을 입으면 강한 거부감을 줄 수 있다. 녹색과 핑크는 사기 전에 반드시 거울 앞에서 맞춰 보는 것이 중요하다.

클레임 대응에는 파란 셔츠가 효과적

영업의 중요한 한 부분으로 클레임 대응이 있다. 그럴 때에는 청색 계열의 셔츠가 효과적이다. 파랑은 상대방을 냉정하게 만드는 색이기 때문에 사과를 반복하는 사이에 상대방은 진정을 한다. 또한, 짙은 파랑은 피로를 방지하는 효과가 있어서 자기 방어에도 알맞다. 단, 극적인 효과는 기대할 수 없으므로 상대방의 화가 정점에 달했을 경우에는 색채효과만으로는 막아낼 수 없다. 파란 셔츠를 입고 침착하게 일을 하며 실수와 클레임을 방지하는 것이 가장 좋다.

1

셔츠와 양복은 편리한 커뮤니케이션 도구

2

노랑은 전형적인 상담에 알맞다

다음 사원여행은 하와이로~

3

파랑은 클레임 대응에 좋다

죄송합니다

이런!

4

상대를 냉정하게 만드는 효과가 있다

휴~

그냥 봐 줄까

5

녹색은 조화를 꾀하는 색이지만

후~

에?

안색이 나빠 보인다

6

그래서 조퇴하고 싶을 때 입으면 좋다

예(야호~)

자네! 몸이 안 좋으면 조퇴해

유니폼은 회사의 이미지 그 자체

많은 경영자가 여직원의 유니폼은 기능성과 여성스러움만 갖추면 된다고 생각하고 있다. 그러나 그것만으로는 부족한 시대가 되었다. 유니폼은 회사의 이미지를 전달하는 광고와도 같다. 점심시간 등에 외출하는 여직원의 모습은 광고 그 자체이다. 유니폼만으로 회사 이미지를 향상시킨 기업도 있다. 사실 회사의 방침이 유니폼 디자인에까지 미친다면 바람직한 일이지만 예산상의 문제가 있다면 기성 제품을 사용하는 것도 고려해 볼 만하다. 기존의 유니폼에 원단을 바꾸고 회사 컬러로 만드는 것도 효과적이다. 최근엔 체크 무늬와 검정과 진곤색의 심플하면서 예쁜 라인의 유니폼이 늘고 있다. 그런 유니폼에는 작은 컬러 액센트가 좋다. 강조색은 전체 색채 중에서 5%가 적당하며, 너무 많으면 어지럽고 너무 적으면 의미가 없다. 5% 정도라면 좋은 이미지를 전달할 수 있다.

사무실 컬러

사무직 사원이 하루의 대부분을 보내는 사무실의 색채는 대단히 중요하다. 벽 색은 일반적으로 오프화이트나 부드러운 아이보리 등이 좋다. 이러한 색은 근육의 긴장감을 나타내는 라이트 토너스('빛에 대한 근육의 긴장도'를 알기 쉽게 각각의 색에 숫자를 붙인 것. 베이지와 파스텔 톤이 릴랙스한 상태의 측정값인 23으로 가장 낮고, 파랑 24, 초록 28, 노랑 30, 오렌지 35, 빨강 42의 순)값이 정상값과 거의 같은 색으로 불필요한 긴장감을 조성하지 않으므로 편안한 상태에서 일을 할 수 있다. 책상도 회색보다는 파스텔 톤의 베이지, 아이보리 등이 좋다.

색채심리 회의공략법

샐러리맨에게는 우울한 장소인 회의실, 특히 영업에 있어서 실적을 지적당하는 회의는 속까지 쓰린 장소이다. 흰색과 회색 테이블, 흰 벽은 사람을 더 우울하게 만들기 때문에 이런 장소에 장시간 있으면 정신적으로 혼미해진다. 기본적으로 회의실은 청색 계열의 인테리어를 하는 것이 좋다. 청색 계열의 커튼, 파란 의자, 회의용 파란 노트를 준비한다. 파란색을 보고 있으면 시간의 흐름이 빠르게 느껴지기 때문에 빨리 회의를 진행하고자 하는 강박관념이 생기게 되므로 지루하게 시간이 걸리는 회의에 효과적이다. 더욱이 파란색은 긴장을 완화시키는 효과도 있기 때문에 참신한 아이디어가 나올 가능성도 높다. 그리고 어떤 이유로 회의에서 눈에 띄기 싫은 경우는 진회색 양복을 입고(외부로부터의 스트레스를 덜 받는다) 윗사람에게서 가장 떨어진 위치에 앉는 것이 좋다. 대각선상은 적대감을 갖게 하고, 남성 중심의 회의를 좁은 곳에서 하면 공격적이 되므로 좋지 않다. 거꾸로 여성 중심의 회의는 작은 방이 편하고 순조롭게 진행된다.

반대로 활기찬 회의를 하고 싶다면 회의실을 난색 계열로 꾸미는 방법도 있다. 난색은 정신적으로 기분을 고양시켜 참가자의 발언을 유도한다. 자신의 의견을 관철시키고 싶은 때는 빨간 넥타이, 작은 액세서리 등을 달고 가면 좋다. 최근 여러 기업들이 이 회의실과 인테리어의 관계에 주목하고 있다. 청색 계열과 적색 계열의 색만이 아니라 초록과 크림색 등으로 인테리어를 한 회의실을 만들어 어떤 회의가 유효한지 효과적인 회의에 대한 연구를 하고 있다. 회의도 색채심리를 활용하는 시대인 것이다.

1

위까지 아파지는 회사의 회의

오늘 회의지…

아 아 아파……

2

회의에서 눈에 띄고 싶지 않은
사람은 회색 정장을 권장한다

스트레스

스트레스

스트레스

회색은 외부스트레스를 줄여준다

3

더불어 앉는 자리도 중요

사장

부장

여기에 앉는다

4

총무부에 얘기해서 회의실을 블루톤
으로 꾸미는 것도 좋다

5

블루는 시간도 빨리 지나가고 사람
을 릴랙스하게 만든다

쿨一

너무 편하면…

6

당분간 회의에 나가지 않아도
된다…

좋아하는 색깔로 알아보는 직업

몇 가지의 색채적인 공략법을 소개했지만 더 근본적인 문제로 '현재의 일이 맞지 않다' 라고 생각하는 사람도 있을 것이다. 그런 사람을 위한 마지막 수단으로 좋아하는 색으로 알 수 있는 직업을 준비하였다.

- 검정 : 권력을 가지는 일과 자신의 콤플렉스를 숨길 수 있는 일 등이 맞다.

  수석 디자이너 / 학자 · 연구자 / 작가 / 격투기 선수

- 하양 : 높은 이상을 가지고 노력하는 사람을 비난하지 않는 일이 맞다.

  사업가 / 요리사 / 미용사 / 배우

- 빨강 : 지도자적인 자질이 있고 외향적인 성격을 살리는 일이 적당하다.

  정치가 / 사업가 / 경영자 / 편집장 / 영업관리직

- 핑크 : 지적 레벨이 높고 다른 사람에게도 부드러운 성격을 살린다.

  교육자 / 연구자 / 요리사 / 보육사 / 간호사

- 파랑 : 지적이고 조정에 뛰어나다. 신중하고 엄격한 일에 적당하다.

  사무직 / 연구자 / 공무원 / 교육자 / 변호사 / 기업 디자이너

- 초록 : 평화주의자이며 조정파이다. 기획 관련과 자연 관계의 일이 알맞다.

  기획 · 영업 / 의사 / 생산직 / 농업 / 판매원

- 주황 : 활동적이고 머리 회전이 빠르다. 사람을 접하는 일에 알맞다.

  영업 / 판매원 / 스튜어디스 / 건축가 / 디자이너

- 노랑 : 새로운 물건을 좋아하고 사업 센스와 보는 눈이 좋다.

  배우 / 연예인 / 사업가 / 영업 / 평론가

- 보라 : 감성이 풍부한 예술가 타입으로 보통 사람들과는 다른 일이 좋다.

  예술가 / 디자이너 / 탤런트 / 배우

1

전직을 고려하는 사람에게 좋아하는 색으로 알 수 있는 적합한 직업을 소개한다

아~ 일을 그만두고 싶어...

2

빨강을 좋아하는 사람은 경영자독립, 영업 관리 등

글로벌, 인공위성, 개인 서비스업, 회사 고위임원

3

파랑을 좋아하는 사람은 사무, 공무원, 교육관계 등

맡은 바   임무에 충실!

4

노랑을 좋아한다면 배우도 알맞다

아니 정말이여유!

5

하지만 당신이 보라를 좋아한다면 전직은 힘들다.

그래요?

예술가와 탤런트 등 쉽게 되기 힘든 직업이 많다...

6

가부키 배우에 알맞다고 얘길 들어도 그건...

절대 무리

가정에서 활용할 수 있는 색채심리

와시쯔의 색채가 스트레스를 없앤다

와시쯔(일본 전통 양식으로 만든 방)는 색채심리 견지에서 평가하면 지극히 뛰어난 배색조절력을 가지고 있다. 베이지나 고추냉이색(연두색)의 벽, 목조 기둥, 그리고 다다미 등과 같은 색은 근육 긴장도를 나타내는 라이트 토너스값이 낮고 이러한 색에 둘러싸여 있는 사람의 근육은 이완되어 편안하다. 게다가 이러한 색은 빛의 반사율이 약 50%여서 피부 반사율의 약 50%와 맞아 잘 어울린다. 결국 와시쯔의 색채는 일본인에게 잘 맞는다고 할 수 있는데 창문으로 보이는 사계절의 풍경도 훌륭한 강조색이 된다.

최근 도시형 아파트가 늘어 집에 와시쯔가 없는 경우가 많다. 콘크리트 그대로의 회색 벽 대신에 베이지나 오프화이트, 목조 등의 색으로 벽과 마루를 마무리하는 것이 좋다. 넓은 면적의 벽에는 가장 약한 색을 사용하는 것이 철칙이다.

침실의 색

침실은 숙면을 취할 수 있도록 수면 유인효과가 있는 파랑과 물색을 기조로 하는 것이 좋다. 파랑에는 긴장을 풀어주는 효과도 있으므로 편히 쉴 수 있을 것이다. 조명은 형광등이 아니라 백열등 같은 부드러운 색의 조명을 권하고 싶다. 형광등은 수면과 생체 리듬을 조정하는 호르몬인 멜라토닌 분비를 억제한다. 벽지 등의 색을 바꾸는 것이 힘들다면 커튼이나 카펫, 이불을 파란색으로 사용해도 효과적이다. 파란 톤온톤 배색으로 마무리하면 좋다. 단, 손발이 찬 여성은 차가운 색으로 꾸미는 것은 바람직하지 않다. 핑크와 살구색 파자마를 입기 바란다.

162

1

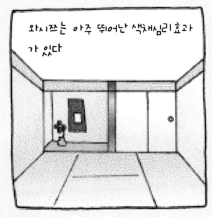

와시쯔는 아주 뛰어난 색채심리효과가 있다

2

벽의 반사율과 피부의 반사율이 맞아 편안히 쉴 수 있다

3

창문으로 보이는 계절마다의 풍경이 딱 좋은 강조색이 된다

4

겨울의 눈은 흰색, 봄의 벚꽃은 핑크, 여름의 신록, 가을 단풍

좋구나~

5

그리고 보름달...

아, 정취가 있어

6

이웃집 아저씨잖아!

얘야! 간장 좀 빌려 주련?

유아에게 보여 주고 싶은 색

아기들은 생후 1개월쯤 형체를 알아보고 2~3개월에 색을 판별하는 능력이 싹튼다. 원색을 식별할 수 있게 되기까지는 약 반 년이 걸린다. 신생아는 노랑, 흰색, 핑크 등의 색을 좋아하기 때문에 이러한 색을 중심으로 여러 가지 색을 보여주는 것이 좋다. 최근 2~3년의 연구로 색채감각은 영유아기의 시각체험에 의해 얻어진다는 것이 밝혀졌다. 산업기술종합연구소의 인지행동과학 연구팀이 태어난 지 얼마 되지 않은 원숭이를 1년간 단색광 조명만으로 사육하며 색채감각을 정밀하게 조사한 결과, 색채감각은 생후의 경험으로 몸에 익힌다는 사실을 알게 되었다. 따라서 뛰어난 색채감각을 몸에 익히기 위해서는 영유아에게 여러 가지 색채를 경험하게 해주는 것이 바람직하다.

아이들 방은 청색 계열로

아이들이 성장하여 방을 갖게 될 때는 방 전체를 청색 계열로 마무리하는 것이 좋다. 파란색은 아이들의 성장력을 촉진하는 색으로 집중력과 구심력을 높이는 색이기도 하다. 파란색만으로 인테리어를 하면 다소 썰렁하거나 색 밸런스를 맞추기 어렵기 때문에 전체의 70% 정도를 베이지 계열 같은 차분한 색으로 하고 파란색은 서브 컬러로 하는 것도 좋다. 베이지색은 파랑과 같은 편안한 효과를 기대할 수 있고 아이들의 자유로운 발상을 촉진하는 효과가 있다. 미국 펜실베니아 대학의 연구에 의하면 베이지색을 몸에 지니고 있는 학생은 자신감이 넘치고 성적도 좋다는 결과가 나와 있다. 베이지색은 아이들에게 좋은 색이다. 또한, 형광등은 어린이를 무기력하게 하는 경향이 있기 때문에 조명은 백열등이 좋다.

주방의 색

주방은 주부들에게 있어 인테리어의 일부분이기도 하지만 역시 식사를 준비하는 곳으로서의 본래의 기능이 없어서는 안 된다. 백열등 등의 조명은 식재료의 색을 다르게 보이게 하므로 연색성(인공 광원의 성능 중의 하나. 물체의 색을 자연광에서 본 상태에 가까운 색으로 표현할 수 있는 성능)이 높고 자연광에 가까운 형광등과 전구를 고르는 것이 포인트이다. 요리를 하는 주위에는 고채도 타일과 벽은 좋지 않다. 흰색이나 파스텔풍의 색이 좋고 그 중에서도 밝은 살구색 같은 연하고 따뜻한 계열의 색이 좋다. 단, 식욕을 증진시키는 색이므로 군것질에는 주의하는 것이 좋다. 앞치마는 오렌지색이 좋은데 오렌지색은 식욕을 돌게 할 뿐만 아니라 요리를 능숙하게 만드는 행동에도 영향을 준다.

욕실의 색

기본적으로는 욕실의 컬러는 편안히 쉴 수 있도록 자신이 좋아하는 색으로 하는 것이 좋다. 단, 너무 짙은 색은 좋지 않다. 고명도의 색은 편안하게 쉴 수 있게 하고 진출색인 관계로 욕실이 넓게 느껴진다. 특히 한색 계열의 깔끔한 색이 좋지만 벗은 몸을 생각하면 파랑보다도 밝은 연한 그린이 어울린다. 난색 계열에서도 크림색 계열의 노란색이라면 따뜻함을 느끼며 편안히 쉴 수 있다. 내부 인테리어를 바꾸는 것이 쉽지 않을 경우에는 녹색 소품이나 유리구슬 등을 두는 것만으로도 분위기가 바뀐다. 그린은 욕실 전체 면적의 5% 이하(관엽식물+수건 · 액세서리)로 하면 밸런스를 맞출 수 있다. 세면대 주위는 라벤더로 포인트를 준다. 라벤더는 여성 호르몬을 촉진하는 색으로도 알려져 있어 여성을 아름다워지게 하는 효과가 있다.

1

주방은 자연광에 가까운 빛을 고르면 좋다

좋아

2

타일은 흰색이나 파스텔

끄덕끄덕

3

오렌지색 앞치마를 하면 능숙하게 요리를 할 수 있다

루루루~

4

요리를 잘 하는 어떤 주부는 요리와 기분으로 옷을 결정한다

어떤걸로 하지...

두두두두두...

5

짠

그거야!
오늘은 따뜻한색 효과로
모두의
식욕을 높여주지!

6

대개 옷의 영향으로 요리를 완성...

자기가
영향을 받고 있잖아

맛있어~
얌냠

할 수 없다

초록을 가까이 두면 좋은 일이 있다

초록은 피곤한 몸을 풀어주는 색이므로 집의 어딘가에 있으면 좋다. 가능하면 관엽식물이 좋다. 가벼운 두통은 녹색을 보는 것만으로 낫는 경우가 있다(과도한 녹색은 역효과의 경우가 있음). 초록이 눈에 좋다는 것은 많은 사람이 알고 있지만 눈뿐만 아니라 컨디션을 조절해 주는 효과도 있다. 많은 색채학자들이 녹색에 의해 체내의 장기가 활성화된다는 사실을 보고하고 있다.

가정에 있는 아내를 위해 남편이 할 수 있는 일

'아내가 우울해 하거나 신경질적이라고 해서 헤어지고자 하는 남편은 아내를 바꿀 게 아니라 집안의 색채를 바꿔라'. 색채연구가인 루이스 체스킨의 말이다. 전업주부의 경우 벽지가 어둡고 방도 어둠침침하다면 누구라도 우울해질 것이다. 아내가 건강하지 않은 이유는 집안의 내부 인테리어에 있을지도 모른다. 그럴 때는 마음먹고 방을 밝은 분위기로 바꿔보면 어떨까? 거꾸로 방이 밝은데 부인의 표정이 어둡다면 난색의 방으로 인해 잠을 편안히 못 잤는지도 모른다. 짜증을 잘내는 아내에게는 난색계열의 방 색이 맞지 않는지도 모른다. 방의 이미지를 바꾸면 대부분 기분이 전환되는 효과를 볼 수 있다.

하지만 정말 중요한 것은 방의 색깔만 바꾸는 게 아니라 괴로워하는 아내를 바라보며 함께 그 원인을 생각하고 아내가 좋아하는 소품과 커튼, 인테리어를 고르러 함께 나가는 일이다. 어떤 색채로도 애정이라는 색은 당해낼 수가 없다.

연애할 때 활용할 수 있는 색채심리
여자들에게만 살짝 알려주는 연애 색채심리

사랑할 때 효과적인 색

사람은 사랑을 하면 예뻐진다. 여성은 사랑을 하면 피부 대사를 활성화시키는 호르몬과 피부를 아름답게 하는 호르몬이 분비된다. 또한 겉모습에 신경을 쓰게 되어 여성이 사랑을 하면 예뻐지는 것이 당연하다. 누군가 좋아하는 사람이 생기면 어떻게 할 것인지 생각하기 전에 자신을 가꾸는 노력을 해야 한다.

여성이라면 라벤더와 라일락 등의 연한 보라색 계열의 옷을 입고 이런 색을 보듯 마음의 준비를 하면 좋을 것이다. 라벤더와 라일락은 여성 호르몬 분비를 촉진시키고 여성을 예뻐보이게 해 주는 효과가 있다. 또한, 사랑을 하면 핑크를 좋아하게 된다. 핑크에도 같은 효과가 있으며 성격이 부드러워진다. 하지만 핑크를 너무 많이 사용하면 어린아이 같은 느낌이 되므로 과도한 사용은 자제하고, 외면적인 부분보다는 내면을 가꾸는 것이 더욱 효과적이다. 상대방을 배려하는 마음이 더욱 자신을 예쁘게 만든다.

속옷 색도 중요하다

피부에 직접 닿는 속옷의 색깔은 피부에 큰 영향을 주기 때문에 주의할 필요가 있다. 속옷으로 핑크와 연한 보라 계열도 좋지만 피부 건강에 가장 좋은 것은 흰색이다. 피부에 좋은 빛을 투과해 주기 때문이다. 반대로 섹시해 보이기 위해 검은 속옷만 입는 것은 그다지 바람직스럽지 않다. 검정은 빛을 흡수해 버리므로 장시간 착용하면 피부 노화를 촉진한다.

여성이 첫 데이트에 입어서는 안 되는 색

첫 데이트의 옷 선정은 상당히 고민이 되는 문제이다. 직장여성을 대상으로 한 설문조사에서는 첫 데이트에는 청초하게 보인다는 이유로 파스텔 컬러나 흰색 옷을 입고 간다는 답변이 상위를 차지했다. 물론 흰 블라우스나 정장은 여성을 청초하고 아름답게 보이게 하는 색이다. 그러나 흰색 옷을 첫 데이트에 입는 것은 좀 문제가 있다. 흰색은 상대방에게 좋은 이미지와 함께 차가운 인상을 준다. 특히 첫 데이트에서는 긴장을 하기 때문에 생각한 것을 이야기하지 못하는 경우가 많다. 이는 흰색의 마이너스 이미지를 증폭시키기 쉽다.

그러면 첫 번째가 아닌 세 번째 데이트 정도에 입고 가면 어떨까? 첫 번째, 두 번째에서 밝은 색 옷을 입고 편하고 즐거운 데이트를 해 둔다면 그 인상 차이에서 오는 효과는 절대적이다. 지금까지의 옷의 이미지와는 완전히 다른 흰색의 청초한 이미지에 상대방은 의외로 당신에게 더욱 호감을 가질 가능성이 높다. 흰색 옷의 좋은 이미지 효과를 충분히 발휘할 수 있는 것이다. 병원에서 간호사의 흰 가운에 넋을 빼앗기는 남자의 심리도 생각해 볼 만하다.

이런 이유로 첫 데이트에는 흰 옷을 입고 가서는 안 된다. 딱딱한 인상을 주는 곤색도 피하는 것이 좋다. 상대의 취향에 따라 받는 인상이 다르기 때문에 어떤 색이 좋다고는 말할 수 없으나 좋지 않은 색을 피해 자기에게 어울리는 색을 입고 가는 것이 최선이다.

다른 속셈이 있는 남성은 그 기분이 앞서 빨간 옷을 입고 나타날지도 모른다. 빨강의 심리효과로 감정이 들떠 그대로 단번에 무언가를 해버리려고 하기 때문에 첫 데이트에서 빨간 옷을 입고 오는 남성은 주의하기 바란다. 만나자마자 차 버려도 좋다.

첫 데이트에 흰 옷을 입으면 안된다

어? 그래도 흰색은 청초하잖아

4

흰 옷은 세 번째 정도에 입으면 좋다

역시···

그 건강한 아이가

2

긴장해서 그다지 이야기를 못하면 상대방에게 차가운 인상을 주고 만다

긴장되네

차가움

5

의외의 이미지 변화에 그의 마음을 얻을 수···

어디로 갈까?

어떻게 한 거지? 청순한 옷으로···

3

첫 데이트는 자연스럽게 자기답게···

6

있을 지도···

라면 먹은 걸까?

흰 옷은 얼룩에 주의

유사성의 법칙

데이트를 본격적으로 계속하게 되면 당신은 상대가 좋아하는 색을 알아둘 필요가 있다. 포인트는 그가 항상 입고 있는 옷이라고 해서 좋아하는 색이라고 판단해서는 안된다는 것이다. 좋아하는 색과 입고 있는 옷이 반드시 일치하지는 않는다. 대화 중에 그가 좋아하는 색을 알았다면 색으로 대강의 성격을 알 수 있다. 예를 들면, 초록을 좋아하는 사람은 사회의식이 강하고 착실하며 호기심이 왕성하지만 스스로 적극적이 되려고 하지 않는다. 그래서 그런 그에게는 내 쪽에서 무언가를 권하는 것이 좋다. 또한 오렌지색을 좋아하는 사람이라면 행동파이고 적극적인 사람이다. 지는 것을 싫어하여 한번 마음먹은 것은 관철시키려고 하기 때문에 그가 생각하는 것을 응원하고 자유롭게 해 주는 것이 가장 좋다. 그러나 무리하게 분위기를 만들려고 하는 사람도 오렌지색을 좋아하는 사람의 특징이다. 그런 사람은 그 성격을 이해하고 따라주면 호감을 갖게 된다.

이러한 성격을 알면 그에 대한 공략법이 보이게 된다. 다른 색 취향과 성격의 관계는 '만화로 읽는 색채심리' 1권에 자세히 써 있으므로 참고해 주기 바란다.

그리고 그가 좋아하는 색을 알게 되면 그 색의 옷을 입어 보는 것도 그와의 거리를 좁히는 전략의 한 가지이다. 자연스럽게 그도 편안해져서 색을 통해 호의를 보일 가능성이 높다. 게다가 자신과 취향이 같다고 생각하면 대성공이다. 좋아하는 색이 같다는 것을 알게 되면 두 사람의 관계는 훨씬 가까워진다. 이것을 심리학에서 유사성의 요인이라 일컫는다. 취향이 일치하는 커플은 그만큼 맺어지기 쉽다.

1

그가 좋아하는 색을 알면 두 사람의 거리가 훨씬 가까워진다

2

좋아하는 색으로 상대의 성격을 어느 정도 파악할 수 있기 때문이다

노란 색을 좋아하는 사람은 쉽게 실증내는 타입인데…

이 색이 좋아

3

반짝반짝

모든걸 자기 마음대로…

4

초록은 침착해지죠

초록은 다른 사람을 신용하지 않는 사람이 많은데…

5

쉽게 실증내는 남자
노랑선호

초록을 좋아하는 사람은 다른 사람을 신용하지 않지

빨강은
자기 마음대로

초 네거티브…

6

하지만 남자는…

멍~

어떻게 해~

도대체 아무것도 생각하질 않아…

색 취향으로 알 수 있는 궁합 체크

그와의 궁합은 여성에게 있어 궁금한 부분이다. 그와의 궁합을 색 취향에서 접근해 보자. 배색의 색채조화와 비슷해서 유사성과 보색관계가 기본이다. 파랑을 좋아하는 남성에게는 동일의 청색 계열과 보색인 황색을 좋아하는 여성이 맞다. 또한, 흰색과 빨강을 좋아하는 여성과의 궁합도 아주 좋다. 흰색과 파랑의 배합은 시원한 배색을 만드는데 파랑이 지닌 시원함과 성실함은 흰색을 좋아하는 청초한 여성의 조합과 잘 어울린다. 탐구심이 강한 사람은 파랑을 좋아하기 때문에 흰색 취향의 높은 이상을 가진 여성과도 잘 어울린다. 이처럼 색채심리 접근으로 궁합도 어느 정도 합리적으로 해석할 수 있다.

노랑을 좋아하는 남성은 특히 보라를 좋아하는 여성과 궁합이 좋다. 보색관계에 있을 뿐 아니라 노랑을 좋아하는 호기심이 왕성한 사람은 보라를 좋아하는 사람이 가진 문화적 지향과 깊이가 동경의 대상이 된다. 또한, 빨강을 좋아하는 남성은 빨강과 오렌지색을 좋아하는 여성과 초록을 좋아하는 여성이 어울린다. 흰색과 검정을 좋아하는 여성과도 궁합이 좋다. 오렌지색을 좋아하는 행동적인 남성은 신중한 회색을 좋아하는 여성과 밸런스를 맞출 수 있다. 오렌지색을 좋아하는 사람들끼리는 아주 쉽게 맺어질 수 있다. 무채색의 경우 검정을 좋아하는 남성에게는 흰색을 좋아하는 여성보다 핑크를 좋아하는 여성이 더 잘 맞다. 힘을 가진 검정 파워를 핑크의 여성이 부드럽게 감싸주기 때문이다.

좋아하는 색은 수시로 변하고 상대를 좋아하게 되면 좋아하는 색도 바뀌기 때문에 지나치게 신경쓸 필요는 없다. 색을 즐기면서 연애를 만끽하기 바란다.

1

좋아하는 색에 의한 궁합도 있다

2

파랑을 좋아하는 남성과 흰색을 좋
아하는 여성은 궁합이 좋다

저랑 사귀어 보지
않겠습니까?

아 예

3

노랑을 좋아하는 남성에게는
보라를 좋아하는 여성

저 미스테리
참을 수 없어···

라라···라···

4

오렌지색을 좋아하는 남성에게는
흰색을 좋아하는 여성

저 사람
참을 수 없군···

5

오렌지색을 좋아하는 남녀는 쉽게
통한다

가자가자
Go Go!

가는 거죠?

6

핑크를 좋아하는 남녀는
궁합을 초월한다

김치

옷에 대한 칭찬법

현대는 특히, 외래어가 많이 쓰이는데 좋은 점은 '세련되면서 애매함' 이라 할 수 있다. 예를 들면, 'stylish' 라는 단어는 본래 '유행의', '상급의' 등의 의미를 가진 형용사이지만 '스타일리시' 가 된 시점에서는 매우 넓은 의미를 가지게 된다. 그 외에도 '컨셉(concept)' 은 자주 쓰이는 단어임에도 불구하고 본래 의미를 설명할 수 있는 사람은 드물다. 광고대행사가 외래어를 남용하는 것도 세련되게 보이면서 애매하기 때문이다.

남성이 여성이 입고 있는 옷을 칭찬하는 것은 어렵다. 옷에 대한 지식도 부족하고 기분을 적절하게 표현하는 것에도 서툴기 때문이다. 칭찬을 하고 싶지만 상대에게 전달하기가 어렵다. 하지만 외래어를 활용하면 매우 세련되고 애매하게 칭찬할 수 있고 다시금 애매한 부분은 받아들이는 쪽에서 좋게 해석해 준다. 또한 디자인을 칭찬하는 것은 어려우나 색깔이라면 간단하게 칭찬할 수 있다.

예를 들면, 분홍색이나 크림색 같은 연한 색의 옷을 입고 있는 여성에게 '부드러운 색이네요' 라고 하면 뭔가 만족스럽지 못하다. 이때는 귀엽다는 의미인 '큐트(cute)' 를 사용한다. 차분한 색은 '시크(chic)', 짙은 색은 '리치(rich)' 한 색이라고 칭찬할 수 있다. 최근 여성패션지가 만든 조어 '아데죠 (패션지『NIKITA』가 만든 조어로 경제적 능력과 관록이 있는 멋진 여성을 말함)' 는 사용할 때 주의해야 한다. 사실은 '요녀' 를 의미하기 때문이다.

혜비로테(heavy rotation) : 마음에 드는 옷을 몇 번이나 착용하는 것

옷차림으로 읽을 수 있는 메시지

남성이 여성의 마음을 이해하는 것은 대체로 불가능하다. 그래도 여성은 조금이라도 자기를 이해해 주는 남성을 좋아한다. 이럴 경우에도 색채는 도움이 된다. 여성은 그날의 기분을 옷차림에 반영시키는 경우가 많다. 선명한 색이라면 같은 취미 등으로 활동적으로, 그레이시 톤의 옷이라면 차분한 미술관 등의 데이트를 추천한다. 귀엽고 밝은 톤의 옷을 입고 왔다면 그 옷이 눈에 띄는 밝은 실외에서의 데이트가 바람직하다. 분홍색 등 난색 계열의 연한 톤이라면 포용력 있는 행동을 보여주면 좋다. 짙은 청색 계통의 옷은 이야기를 들어 주기를 바라는 기분의 표현이므로 가만히 이야기에 귀기울여 주자. 검정을 바탕으로 한 무채색 옷일 때는 이야기를 들어주거나 상대방을 확실히 칭찬해주자.

개인공간

전철이 복잡해지면 숨이 막힐 것 같은 기분이 든다. 이는 자기의 몸 주변에 있는 개인공간에 타인이 들어 왔기 때문이다. 이 개인공간은 대략 0.8~1.0m이다. 이 공간에 타인이 들어오면 스트레스를 받지만 호감이 가는 이성에게는 들어왔으면 하고 바란다. 여성은 자신의 개인공간에 상대방이 들어오면 처음에는 불쾌하게 생각해도 시간이 지나면 그 상대방에게 호감을 갖는 심리를 지니고 있다. 무리해서 들어와 자리를 차지하면 싫어하지만 자연스럽게 가까이 오면 호감을 갖게 된다. 남성은 그 공간에 장시간 있기 위해 빨간색이나 오렌지색 등의 셔츠는 피해야 한다. 온화한 색 배합의 컬러링이라면 여성도 틀림없이 편안한 상태로 가까이 있어 줄 것이다.

색채심리는 절호의 대화 도구

데이트를 여러 번 하는 동안 상대와의 거리를 좁히는 효과적인 대화가 있다. 그것은 자신의 꿈, 가족, 과거, 일 등 보통 얘기하지 않는 것을 상대에게 전달하는 것이다. 상대에게 자신의 얘기를 하게 되면 듣는 쪽이나 얘기하는 쪽이나 서로 쉽게 호의를 갖게 된다. 상대의 깊은 곳에 있는 한 면을 알게 되면 관계는 다음 단계로 나아간다. 하지만 여기에는 타이밍이 중요하다. 때로 첫 데이트에서 자신에 대해 묻지도 않는데 이야기를 시작하는 사람이 있다. 이것은 최악이다. 포인트는 3~4 회째의 데이트가 적당할 것이다. 자신에 대해 이야기를 하는 것과 동시에 상대도 자기를 열어보이지 않으면 그다지 효과가 없다.

그럴 때는 색채심리 이야기가 가장 좋다. 처음에는 색에 관한 여러 가지 상식 등의 이야기로 상대방이 색에 흥미를 갖게 하고 좋아하는 색에 따른 성격 이야기를 한다. 색에 대한 이야기에 흥미가 없는 여성은 거의 없을 정도로 많은 여성이 관심을 가지고 있는 이야기이다.

예를 들면, 흰색을 좋아하는 사람은 성실하고 재능이 있는 완벽주의자이지만 상대방의 마음에 남고 싶다는 의식이 강하고 고독을 느끼며 외로움을 잘 타는 사람이 많다. 그런 것을 중심으로 이야기를 넓혀 가면 틀림없이 그녀는 당신에게 마음을 열어 준다. '사실은 제가 예전에~' 라는 식의 이야기가 나오면 성공적이다. 또한 여성은 박식한 남성을 좋아한다. 단 어중간한 지식과 이치에 맞지 않는 말은 하지 않는 것이 좋다. 그 이야기가 이치에 맞지 않는다는 걸 알게 되는 순간 상대에게 느끼던 좋은 감정은 가속도가 붙어 땅으로 떨어진다. 이것을 '뉴턴의 불성실의 법칙' 이라 부른다.

1

상대의 마음을 열 수 있다면 사랑은 다음 단계로 나아간다

이건 계단

2

그러기 위해서는 색채심리를 활용할 수 있다

3

색에 관한 이야기로 상대의 마음을 잡고 좋아하는 색을 묻는다

우와~

인도에는 핑크색 거리가 있어요

4

흰색을 좋아하면 고독을 느끼고 핑크와 노랑을 좋아하면 애정을 원하고 있는 경우가 있다

저는 핑크를 좋아해요

5

성실하게 이야기를 나누는 것이 중요

그러면 함께 사랑을 이야기하러 가시죠

무책임한 이야기를 하면…

6

신뢰는 가속도가 붙어 땅에 떨어진다…

신뢰

아르바이트할 때 활용할 수 있는 색채심리

상점의 유니폼 컬러에 숨겨진 색의 파워

레스토랑, 숍 등의 유니폼은 일을 하기 쉽게 기능적으로 디자인되어 있다. 그리고 동시에 상점의 이미지를 상징한다. 특히 이 이미지를 만드는 것은 모양보다도 색이 중요하다. 예를 들면, 편의점인 로손과 세븐일레븐의 유니폼을 생각해 보자. 유니폼의 모양이 어떻게 다른지 설명할 수 있겠는가? 실제로 일한 적이 있는 사람이 아니라면 거의 설명할 수 없다. 그러나 색은 간단히 기억해낼 수 있다. 로손은 이런 색, 세븐일레븐은 이런 색이라고 기억했을 것이다. 색은 모양보다도 기억에 남기 쉬운 성질이 있다. 또한, 유니폼의 색을 보면 상점의 방침을 어느 정도 짐작할 수 있다.

예를 들면, 로손의 유니폼은 밝은 파랑과 흰색의 스트라이프로 이루어져 있다. 파랑은 안전을 상징하는 색이므로 안전의 이미지가 있고, 호감도가 높아서 많은 사람들에게 사랑받는 색이기도 하다. 게다가 핑크 배색은 친근감과 편안함을 느끼게 해 준다. 직원에게도 이 파랑은 효과적이다. 파랑은 성장력을 촉진하는 색으로 직원은 자신도 모르는 사이 심신의 성장촉진을 받게 된다. 시간의 흐름을 빨리 느끼는 색이기도 하고 근무시간도 짧게 느껴져 성실한 근무를 기대할 수 있다. 미래를 느끼게 하는 색이며 손님은 물론 주주와 거래처에도 정감을 줄 수 있다.

또한, 오렌지색을 강조하는 유니폼이라면 행동력이 촉진되면서 즐겁고 밝은 심리상태가 된다. 따라서 오렌지색 유니폼을 입으면 즐겁고 활기차게 일할 수 있을 것이다.

184

1

편의점에서의 아르바이트는 시급과 조건이 좋요

시급
4000원~
주2일부터
근무가능

음~

2

하지만 유니폼의 색도 아주 좋요

예

이거 입어

3

파란 유니폼은 입고 있는 것만으로 성장 촉진이 된다

감사하는 건
멋진 일인걸~

감사합니다

4

오렌지색이 들어간 유니폼이라면 즐겁고 활기차게 일을 할 수 있다

이쪽으로 오세요

5

하지만 실제로 아르바이트에는…

어이
점심시간이야

어서오세…
그래!

이것 주세요

6

식사가 가장 좋요… 할지도

바나나다 바나나…

팟 다다다…

전단지 배부시 활용할 수 있는 색채심리

길거리에서 나눠주는 광고지에도 색채심리를 활용할 수 있다. 사람들은 전단지가 자신에게 유익한 것일까를 판단하고(예를 들면 휴지, 사탕 등은 받는다) 다음 행동으로 옮긴다. 그때 건네주는 쪽이 빨간 장갑을 끼고 있으면 효과적으로 전단지를 보게 할 수 있다. 주목도가 높은 빨강으로 흥미를 끌어내고, 빨간색이 행동의 계기가 되어 흥미가 없어도 그만 손이 나가게 된다. 주의할 점은 빨간색, 진홍색보다는 금적색(金赤 : 노란 기가 약간 가미된 선명한 빨간색)과 같은 오렌지색이 들어간 색이 좋다. 피 색깔에 가까운 빨강은 본능적으로 위험을 느끼므로 역효과이다.

예전에 장갑을 응용하여 빨간 조끼와 오렌지색 셔츠를 사용, 노래방 전단지 배부에서 효과를 검증한 일이 있다. 그 결과, 나누어준 것도 많았지만 회수율이 상당히 높았다. 다른 가게의 2배 가까운 숫자였다. 인과관계는 불분명하지만 빨간 옷이 받는 사람의 행동을 유도하는 효능이 있는 것인지도 모른다고 추측할 수 있다.

육체노동에도 활용되는 색채심리

몸을 움직이는 일에서도 색채심리적 접근의 효과는 무시할 수 없다. 이삿짐센터의 아르바이트로 보수와 조건이 거의 같은 여러 회사를 놓고 어디로 면접을 보러 갈지 고민 중이라면 포장박스의 색이 가능한 한 흰색에 가까운 업체가 좋다. 흰색은 무게를 심리적으로 경감시켜 주기 때문에 피로감이 적어서 좋다. 또한 도로공사와 운반 등 힘이 필요한 장소에는 오렌지색 수건을 갖고 가는 것이 좋다. 오렌지색은 파워를 주는 색채이기 때문이다.

1

이삿짐센터에서 아르바이트를 할 때는 흰 포장박스를 쓰는 회사가 좋다

4

야간 경비원이라면 속옷은 빨간 바지로

힘이 솟는구나

2

흰 상자는 가볍게 느껴진다

야 가벼워~

5

장거리 트럭 아르바이트라면...

룰루...

3

육체를 사용하는 일은
오렌지색 수건

헤ー

6

장윤정

관계없잖아

트로트

📚 토막상식 │ 수면과 색의 온도

잠자기 전에 서로 다른 색 온도의 빛을 비추고 수면 중의 상태와 인과관계를 알아보는 실험이 있다. 색의 온도란 간단히 말하자면 빛의 색을 온도로 치환한 것이다. 단위는 K(켈빈)로 표시한다. 실험에서는 6,700K의 빛을 조사한 쪽이 다른 온도(5,000K, 3,000K)를 조사했을 때보다 수면 중에 심장 박동수가 안정되었다. 3,000K라면 백열등, 5,000K라면 대개 낮 동안의 태양빛, 6,700K라면 형광등 정도이다. 덧붙이면 컴퓨터 모니터 빛은 약 9,000K이다. 높을수록 청색광을 가진다고 한다. 형광등과 컴퓨터 모니터의 빛은 멜라토닌 분비를 억제하는 움직임이 있지만 한번 쬐고 나서 자는 것이 푹 잘 수 있다고 하는 설도 있다. (작업장)형광등 → (침실)백열등의 조합이 좋을지도 모르겠다. 컴퓨터 모니터 설정을 9,000K에서 6,700K로 하면 눈에 부담을 줄여준다.

6장

색에 관한 잡학

색채는 사람의 감각에 갖가지 영향을 준다. 시간감각을 어긋나게 하고, 거리감각을 마비시키고 기억 속의 형태를 바꾼다. 여기에서는 색의 기본적인 성질, 색채가 사람에게 어떤 영향을 주는지 등 색채심리의 기본을 설명한다.

색에 관한 여러 가지 상식들

칠판은 왜 검정색이 아닌가?

어릴 때부터 색에 관해 궁금한 점이 있었는데 그 중 하나가 '칠판은 검정색이 아니라 진한 녹색' 이라는 것이었다. 같은 의문을 가지고 있는 사람도 있을 것이다. 처음 칠판이 등장했을 때에는 실제 검정색이었다. 하지만 검정은 눈에 나쁘고 장시간 보는 것에 적합하지 않을 뿐더러, 검정 염료가 전쟁으로 구하기 힘들어졌기 때문에 검정에서 진초록으로 바뀌었다고 한다. 그런데 명칭은 지금까지 흑판으로 남아 있다. 덧붙이자면 초중학교의 대다수는 칠판을 서쪽에 설치하고 있다. 그것은 서쪽에 칠판을 두면 학생들의 왼쪽이 남쪽이 되어 햇볕이 자신의 오른손 그림자를 만들지 않고 손 근처를 비춰주기 때문이라고 한다.

일곱 가지 색 바나나

바나나에는 일곱가지 색이 있다. 파랑, 빨강, 노랑과 같은 것이 아니라 나무에서 막 딴 초록의 올 그린에서 숙성되어 스타라고 불리는 진노랑까지 단계적으로 색과 당도가 평가되고 있다. 바나나는 색의 단계에 따라 영양가와 몸에 주는 건강효과가 다르다. 그리고 이 색은 초록색의 바나나를 배에 싣고 우리나라에 오는 동안에 노랗게 바뀐다고 알고 있지만 그것은 큰 착각이다. 초록 그대로 우리나라에 수입되어 전용 '바나나 숙성실' 에서 온도 조절과 에틸렌 가스를 사용하여 노랗게 숙성시키는 것이다. 사실 노란 바나나는 해충 관계로 수입할 수 없다.

1

바나나는 그 색에 따라
이름이 붙는다

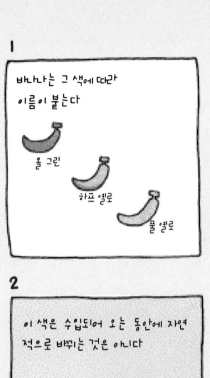

올 그린

하프 옐로

풀 옐로

2

이 색은 수입되어 오는 동안에 자연
적으로 바뀌는 것은 아니다

뿌우~

3

바나나는 초록 상태로 수입되어

4

숙성실에서 노란색으로 숙성시킨다

바나나방

삐

5

그 곳에서 에틸렌 가스와 온도를 정밀
하게 조절한다
전문가의 감이 관건

맡겨줘!

바나나 숙성 경력
30년 바나나 달인
길씨

6

엥?

신이시여~

나라마다 다른 무지개의 색 수

무지개색의 수는 일곱 가지, 일반적으로 빨·주·노·초·파·남·보로 알려져 있다. 하지만 무지개색의 수와 색은 지역과 민족에 따라 크게 다르다. 미국과 영국에서는 남색을 뺀 6색이 일반적이고 독일과 프랑스에서는 5색으로 표현하는 경우도 있다. 4색과 3색으로 표현하는 나라도 많다. 실제 이 색의 수는 색채감각 이라기보다는 교육과 관계가 있다. 뉴턴이 태양광을 분해하여 그것을 7색으로 가르친 것이 발단이 되어 '무지개는 7색'으로 쓰여지게 되었다. 원래 연속하는 색을 인간이 편의적으로 구분했을 뿐 거기에는 무한한 색이 있는 것이다. 만약 '무지개 색은 몇 가지 색인가?'라는 질문에 '10색'이라고 대답한 아이가 있더라도 그건 '틀렸다'고 하기 곤란하다. 오히려 그 아이의 감성을 존중해 주어야 할 것이다. 덧붙여 저자의 경우엔 몇 번을 세어 봐도 5색밖에는 셀 수가 없었다.

전통색인가? 미묘한 '벵가라색'

'벵가라색'이라는 색이 있다. 지금은 전통색의 한 가지이지만 유래는 인도 북동부에 있는 벵갈 지방의 '벵갈'에서 왔다. 이 지방에서는 양질의 적갈색 산화철이 산출되었다 해서 그 산지명이 이름이 되었다. 벵가라색은 건물과 옷의 색으로 자주 쓰여진다. 본래의 뜻과는 관계가 없지만 완벽하게 전통색에 잘 어울린다. 색명의 분류는 전통색이지만 엄밀하게 보면 인도산이다. 역전 마라톤에 참가한 마라톤 유학생 같은 색이다.

새우는 익으면 왜 빨갛게 될까?

예전에 중화요리식당에서 딸이 아빠에게 '왜 새우는 익으면 빨갛게 돼? 라고 묻자 '먹히는 게 부끄러워서 그렇지' 라는 대답에 놀란 적이 있었다. 물론 틀린 이야기이다. 새우와 게는 원래 빨간 색소를 몸에 지니고 있다. 이 색소는 단백질과 결합해서 검은 색과 갈색으로 보인다. 그러나 약 70도 이상의 열을 가하면 색소와 단백질의 결합이 끊어져 원래의 빨간색이 표층으로 나오기 때문에 빨갛게 보인다. 새우는 빨간 색소를 포함한 수초를 먹고 몸에 색소를 저장하고 있다. 이 때문에 새우에게 빨간 색소가 없는 고등어 등을 계속 먹이면 빨간 색소가 줄어 파랗게 변색되어 버린다.

전투부대 영웅의 '빨강'

1975년 5인조 영웅 '비밀전투부대 고레인저' 에서 시작된 전투부대 영웅 역사는 길고 세대를 초월해 지금도 여전히 많은 어린이들에게 '파워레인저' 로 인기를 끌고 있다. 그리고 개성적인 멤버를 나타내는 상징으로 컬러풀한 옷이 사용되고 있다. '빨강' 은 중심적인 존재로 리더로서의 지위를 확립하고 있다. 빨강은 힘의 상징이고 정의감 넘치는 열정을 표현하는 데 아주 적합하다.

어린이들이 좋아하는 색을 영웅의 색으로 했지만 그 영웅을 보고 어린이는 또 영웅의 색을 좋아하게 된다. 결국 어린이들이 좋아하는 색이 영웅의 색이 되는 것이다. 이것을 우리는 '영웅의 나선형 현상' 이라고 부르고 있다. 덧붙여 미국의 2대 코믹 회사인 마벨과 DC에 등장하는 영웅도 빨강이 있었는데 특이할 만한 이유가 있는 건 아니었다. 빨강을 포함해 파랑, 초록과 컬러풀한 영웅이 늘어선 모습은 마치 미국 어린이들이 아주 좋아하는 컬러풀한 초콜릿과 같았다.

마지막으로

색의 세계는 실로 복잡하다. 하지만 복잡하기 때문에 재미있다. 이 책이 그런 색의 재미있는 부분을 조금이라도 전달해 주는 데 도움이 되었는지 궁금하다. 색이란 물체에 빛이 반사되어 그 반사광을 눈이 포착하여 뇌가 만들어 내는 현상이다. 뇌가 만들어 내는 것이기 때문에 여러 가지 심리효과와 대단히 밀접한 관계에 있다. 어쩌면 자신이 보고 있는 광경의 색채가 옆 사람이 보고 있는 색채와 완전히 다른 것일지도 모른다.

예를 들면, 이런 이야기가 있다. 중남미에는 신세계 원숭이라고 불리는 원숭이가 서식하고 있다. 신세계 원숭이 암컷은 사람과 같이 3색 색감을 가지고 있는 것과 2색 색감을 가진 2종류 타입이 있다. 수컷은 2색의 색감밖에 가지지 못한다. 2색 색감과 3색 색감을 가지는 원숭이는 각각 3타입의 종류가 있고 합계 6종류의 다른 색감각형이 있다. 동일종으로 6종류의 색감각형이 있는 것이다. 극단적인 예지만 나란히 앉은 2마리의 원숭이는 각각 다른 세계를 보고 있을 수도 있다는 말이다.

이 책에서는 색채감각을 게임감각으로 알아보기 위해서 '색채력 테스트'를 만들었다. 하지만 이 색채력이 높다고 해서 다른 사람보다 뛰어나다고 이야기할 수는 없다. 색은 사람에 따라 다르게 보이며 받고 있는 영향에도 차이가 있다. 그렇기 때문에 개인적으로는 색채감각의 우월 여부가 무의미하다고 생각한다. 단 복잡한 색을 잘 사용할 수 있다면 보다 더 삶이 풍부해지고 기분 조절과 인간관계에 도움이 될 것이다. 본서를 통해 색의 세계를 알고 흥미를 가져 즐길 수 있다면 다행이다.

1

신세계 원숭이는 일부 종을 제외하고

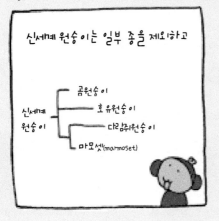

곰원숭이
신세계
원숭이   호유원숭이
              다람쥐원숭이
              마모셋(marmoset)

2

동일종으로 다양한 형태의 색감각을
보인다
결국 색을 보는 방식이 여러 가지

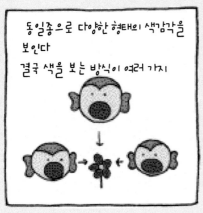

3

인간은 보는 방식이 다른 사람을 부정
적으로 표현하지만 그건 좋지 않다…

보는 법은 제각각

색을 보는 방식은 사람마다 다르다

4

최근의 영장류에게는 다른 사람에게건
보이지 않는 색이 자기에게만 보이는
개체도 나타났다

앗~

5

그들은 높은 사람의 안쓱만 보인다

응

사장님
오늘도
멋지십니다…

6

처세술
능숙 개체!

그건 색감각이
아니잖애!

이해하기 쉬운 **색채심리** ❷

발행일 / 1판 1쇄 2021년 10월 30일

저자 / 포포 포로덕션

옮긴이 / 서인숙

발행인 / 이병덕

발행처 / 도서출판 정일

주소 / 경기도 파주시 한빛로 11

대표번호 / 031) 946-9152

팩스 / 031) 946-9153

전자우편 / jungilb@naver.com

출판신고 / 1998년 8월 25일 제3-261호

잘못된 책은 구입하신 서점이나 본사에서 교환해 드립니다.